李颜垒◎著

段天舒◎图

最美的四季宋词

青少版

中国经济出版社
CHINA ECONOMIC PUBLISHING HOUSE
·北 京·

图书在版编目（CIP）数据

最美的四季宋词/李颜垒著．

北京：中国经济出版社，2017.10（2022.3 重印）

ISBN 978－7－5136－4898－1

Ⅰ.①最… Ⅱ.①李… Ⅲ.①宋词—诗词研究 Ⅳ.①I207.23

中国版本图书馆 CIP 数据核字（2017）第 242480 号

策划编辑　崔姜薇

责任编辑　郭国玺

责任印制　马小宾

封面设计　任燕飞工作室

出版发行　中国经济出版社

印 刷 者　北京科信印刷有限公司

经 销 者　各地新华书店

开　　本　710mm×1000mm　1/16

印　　张　10.5

字　　数　124 千字

版　　次　2017 年 10 月第 1 版

印　　次　2022 年 3 月第 3 次

定　　价　39.80 元

广告经营许可证　京西工商广字第 8179 号

中国经济出版社　**网址** www.economyph.com　**社址** 北京市东城区安定门外大街 58 号　**邮编** 100011

本版图书如存在印装质量问题，请与本社销售中心联系调换（联系电话：010－57512564）

序言

宋词渊源，追忆前生今世

在季节的轮回里，宋词宛如一支古老的岁月歌谣，从春花秋月里款款走来，飘过夏雨冬雪，越过前生今世滴水的屋檐，走进我们的生活。纵使我们很多人不读诗词，但偶尔于万水千山之处凝眸回转，也能瞥见宋词施然而去的影子。

宋词，作为中华文化的瑰宝，千古大家鸿篇巨制闪耀，浩风宇宙，从未离去。那么，它来自哪里？这还得从唐诗说起。

西塞山前白鹭飞，桃花流水鳜鱼肥。
青箬笠，绿蓑衣，斜风细雨不须归。

唐朝诗人张志和所填的《渔父》词历来被人传诵。白、红、绿等亮丽的色彩与富有江南特色的鹭鸟、鳜鱼、桃花流水、斜风细雨等景色融为一体，淡泊闲适，流畅轻盈。千年之后，我们看到的是一幅精美绝伦的画面。而在当时，这首诗一写成便迅速传播开来，不仅后来被唐宪宗闻名而“写真求访”（李德裕《玄真子渔歌记》），就连日本的嵯峨天皇、智子内亲王及滋野贞主也写了和词若干首。可以说，张志和的这首词，在唐朝这个诗歌的国度为词大大赚了一次面子。

大唐达到了中国封建王朝昌盛的顶峰，当它的皇帝威望最高的时候，四方来贺，大唐充满自信，它以惊人的广度和深度吸收外国文化和文明，使大唐文化体现出来的是一种无所畏惧、无所顾忌、兼容并包的大气派，一切因素、一切形式、一切风格，在唐代文化中都可以恰得其所，异彩纷呈。

有唐三百年间，文学以及艺术的各个方面都取得了历来王朝无法企及的巨大成就，峰峦连绵，历历在目：唐代诗歌浩渺无垠，唐代古文的雄奇峭拔，唐代传奇的文采缤纷，唐代的书法、绘画、音乐、舞蹈等，都呈现出前所未有的辉煌。清新婉约的曲子词也是在这时横空而出的。

中国诗歌，向来同音乐有相当密切的关系，大多也都可以配乐演唱。唐代社会经济繁荣，人们的生活丰富多彩，音乐更是唐朝人生活中不可缺少的娱乐享受。此时，有胡地传入的“燕乐”新鲜活泼，曲调繁多，使用各种不同的乐器伴奏，富于变化，尤为人们所爱好。曲子词，就是配合“燕乐”演唱的。

演唱的歌词在流传过程中，深受小市民喜欢。当时，优伶乐师创作或改编一些长短参差的曲词，朴素生动，配合乐谱进行演唱。尽管初期词被视为诗余，是“小道”，难登大雅之堂，但也满城风靡，有唱词之处，热闹非凡。

而文人真正认真地倚声填词，是在中唐才开始的，中唐以来，一些与社会下层接触较多、文学观念又比较开放的上层文人，对歌词产生了兴趣，就开始尝试着依乐曲格式来写词，并在文人中形成了一种风气。张志和的《渔父》词就是这个阶段的代表作，不难看到，文人诗的语言以及思想情感已经开始渗入词中，曲子词演变为一种正式的文人文学题材。到晚唐时候，词作者渐渐多了起来，并且出现了写有专集的词家，词步入正规化时代。

大唐帝国盛极一时，大唐文化圈泽被东西，唐诗无疑是其中最为璀璨的明珠。无论是帝王与布衣、文人雅士与贩夫走卒，抑或闺中女子与沙场男儿，都或嘹亮或低沉地歌唱着，诉说着唐朝的博大广袤。

而曲子词却有另外一番世界。白居易、刘禹锡等大诗人写出的词，或吟咏山水，或朋友情长，风格朴素自然，洋溢着生活气息，展现出更加宽广的世界。

江南好，风景旧曾谙。日出江花红胜火，春来江水绿如蓝，能不忆江南？

多美的江南景致，用回忆口吻把春日江岸与江水景色写得极其明丽鲜艳，一江一花就展现出了生命的灵动。另一首《花非花》，据说是白居易自己作曲填词的：

花非花，雾非雾，夜半来，天明去。来如春梦不多时，去似朝云无觅处。

写得朦朦胧胧，自有一种惆怅在其中，这恐怕是格式整齐的唐诗表达不出来的韵味。刘禹锡应和白居易的《忆江南》虽然不能与白居易原作相比，但另一首《潇湘神》却写得极好：

斑竹枝，斑竹枝，泪痕点点寄相思。楚客欲听瑶瑟怨，潇湘深夜月明时。

作为倾吐内心的伤感的名篇，末句尤其写得含蓄而富有韵味，专门写词“花间派”词人温庭筠还把恋情相思、闺怨情怀之类写得一览无余，在他的笔下，女性婀娜生姿，摇曳起舞。这也成为曲子词成熟的标志。

梧桐树，三更雨，不道离情正苦。一叶叶，一声声，空阶滴到明。

室外梧桐夜雨声点点滴滴，好像把绵绵不绝的凄寒之意注入人的心头，而为离情所苦的人彻夜难眠，便这样听滴滴雨声愁思到天明。温庭筠这首写愁的绝唱，历来为人们赞叹不已，他的语言、题材、风格也影响了宋词盛世。

在唐代诗书乐舞全面成熟的背后，在长安酒肆的欢快嬉闹声里，在一片浮华和喧嚣之中，生活的幸福和文化的创造似乎都达到了顶点。文人们尽情享受着盛世带来的荣华绝伦，在取得巨大艺术成就的同时，也失去了深沉的忧患意识，待到“渔阳鼙鼓动地来，惊破霓裳羽衣曲”，唐代国势即急转直下。盛唐之音，迅速转变为颓丧、伤感的晚唐之调，因此，脂粉味泛滥的糜烂生活充斥着词作的内容。为了和这种内容相适应，这一类的词作在语言上极力追求辞藻的华丽，一时间，词的思想内容狭窄，感情苍白，华丽香艳的词句比比皆是，词最后沦落为歌台舞榭、樽前花下的消闲品，也更为宋词的婉约精神开了先声。

等到了宋代，人们在众多唐代流传下来的曲子词中，挑选出来一些备受喜爱的曲调，对这些曲调进行了更多的加工和改编，为其填入多种唱词，在演唱上也精心处理。一时流行，文人们也竞相模仿曲子的形式写作歌词，成为词牌，飞黄腾达。

唐词之中风月无处不在，踯躅千年的沧海桑田，恍若隔世的缥缈感情似乎伸手可触，一处山水、一出佳话、一段秀艳、一种风流、一份倜傥，在这段启迪宋词的蜜月期中，早已铺够了基础，造足了势头。

所以，才有了宋词流传至今的可能，它非但没有被历史的尘埃湮灭，反而在历经岁月的洗礼后更加熠熠生辉，散发出迷人的光芒，媲美唐诗，一同幽于青史，风满华夏。

目录

春之章　春光溢彩

夏之章 夏风旖旎

秋之章 秋月寒江

冬之章 冬日暮歌

春之章

春光溢彩

春之纯美，百代感叹；春之瑰丽，千古流传。宋词的春天，是一片璀璨的盛世，流光溢彩，繁华如斯，在春光里纵横时空，阅读喜悦与感伤，宋词既是一段饱满的历史，也是一段唯美的艺术人生。

天舒
2017.8.

再见西湖时光，打湿心绪

没去过西湖的人会以为西湖是什么样子呢？跟随着宋词，跨过第一座拱桥，就走进了西湖的烟雨中。滚滚红尘中，心绪被细雨打湿，低眉顺眼不再喧嚣。

那是公元1073年仲春的苏堤吧。犹如一条绿色的飘带，在雨中伸展，漫洇开来，堤桥相接，横卧湖上，南端系住南屏，北端挽起栖霞岭。还会发现绿雾似的堤上桃花盛开了，同样不耐寂寞的还有枝头的黄鹂。

我们与苏东坡在堤上相遇了。刚刚完成长堤修筑的苏太守，心情正佳，他临风而立，面对烟波浩渺，诗情满溢，一首千古绝唱脱口而出。

水光潋滟晴方好，山色空蒙雨亦奇。
欲把西湖比西子，淡妆浓抹总相宜。

水光潋滟，山色朦胧，在这晴空朗照下居然飘起细雨。水映日光，日照水波，波光荡漾，雨气弥漫，缠绕在这湖光山色中，从水到山，令苏轼想到了人。把西湖喻为西子，无论淡妆浓抹，都一样光彩照人。这个比喻生动贴切、明白晓畅，将西湖的风采与西施的美丽完美地结合在了一起，形神气韵相得益彰，令人在留恋西湖的时候，不免感叹西施的美丽，更赞叹苏轼的才华。在《饮湖上初晴后雨》中，今古之人，湖中之景，景中之人，都高度融为一体。

这是苏太守为后人留下的文化遗产，它的价值不亚于苏堤春晓，不亚于那江南的烟花，不亚于那二十四桥明月夜，萦绕着历代文人的理想与梦境。

那是盛夏的西湖吧，那接天的莲叶一片碧绿，莲叶中盛开的荷花在阳光的照射下显出别样的娇红。远处山色空蒙，青黛含翠，偶见高塔，如临仙境。我们和杨万里、林子方一起赏西湖，西湖啊，还真的和诗词中的一样，粉墙黛瓦，恍若隔世，让所有的一切都舒缓下来。

毕竟西湖六月中，风光不与四时同。
接天莲叶无穷碧，映日荷花别样红。

在《晓出净慈寺送林子方》中，接天莲叶，笔法波澜壮阔，而映日荷花也显出几分甜美。杨万里在写西湖六月的时候，恐怕不是想着如何去修饰西湖的美景，而是思考如何才能把美景说尽。于恢宏之中点染出绚烂和生动，于无边辽阔中捕捉出情趣与风韵，这似乎是宋代诗词的特色，也仿佛是宋朝的精神气质与时代风貌的体现。

所以说，一般以为宋词本就没有什么豪放派，所谓的豪放，都不过是婉约延伸出来的舒展。虽然能够绽开得绚烂一些，但终究不过是一朵开在世俗中的花，任凭如何风华绝代，也脱不了旖旎和香软，而这冷韵含香，又正如空谷幽兰，摇曳出醉人的芬芳。由古至今，沉在西湖里的诗篇不胜枚举，却唯独杨万里的这首诗显出不同的笔法和情调，与别人不同，写出了西湖的别样风貌。

那是初秋的临安都城吧，临安繁华，华妍之中重重叠叠的青山把西湖拥在怀里，一座座楼阁雕梁画栋，不计其数地呈现在词人林升的眼前。那西湖的秋霜冷月下，掩映着三潭美景，那西湖游船上轻歌曼舞日夜不歇，最大的那艘应该是御船吧。

山外青山楼外楼，西湖歌舞几时休？

暖风熏得游人醉，直把杭州作汴州。

西湖游客如此兴盛，名景甚多，不可胜数，官宦游人为了一表西湖之盛，“册封”了十处景观为美景之至，包括苏堤春晓、曲苑风荷、平湖秋月、断桥残雪、柳浪闻莺、花港观鱼、雷峰夕照、双峰插云、南屏晚钟、三潭印月。十景各擅其胜，当时的皇帝们也喜欢来到此处游上一游。

皇帝到西湖游览，乘坐大龙舟游湖，各司各府均乘坐大船舫跟随其后，一时间整个湖面上百十来艘船，格外热闹。皇帝并不喜欢这种官家的排场，更倾向于与民同游同乐，于是命令西湖边做生意的百姓不得走避，买卖照常进行，歌舞表演、吹拉弹唱依旧，可以无所顾忌。

《题临安邸》记载着当时宋人的真实生活状态，那是一种热闹繁荣的景象，而非晚景凄凉，所以后人才说，宋人是历朝历代最会玩乐和享受生活的人，从皇帝到百姓，都存在“不知歌舞几时休”的惰性。不过，以西湖之胜景，此等能令人拥有极端消费心理的胜景，也难免叫人享乐，这是宋代的一喜，也是一悲。不过，人们爱宋朝，可能也是爱在此处吧。

如此说来，西湖美景，若是不来看上一看，是否就枉活一世了呢？阅读关于西湖的诗词，滚滚红尘被细语掩盖，随意的安详的都在。

如今，尽管诗词远去，游人与居民依然喜欢在西湖上做文章，在这里，时而有一些秀气的男女点缀其间，以他们不太实在的态度过着非常实在的生活，水波潋滟，游船点点，氤氲的薄雾，沉入西湖深处。

那种生活的情趣和欢乐，也许只有在西湖之畔中才能深深地体味。

龙焙今年绝品，溢出多少风流

元散曲家张可久的一首小令《人月圆·山中书事》的后半首：“数间茅舍，藏书万卷，投老村家。山中何事？松花酿酒，春水煎茶。”真是太让人向往了，山中何所有？茶书诗酒、松云泉石，静如太古的岁月，三月的烟光草色、落花啼鸟，春睡既足，汲泉采花，煎茶酿酒，乐也陶陶。这简直是神仙日子！

在元朝，常年做下级官吏的张可久恐怕是无法享受的，他是在述说一种愿望，不过他这种愿望宋人是达到了，写这首小令的他也许是在羡慕宋朝吧。

唐朝出了个茶圣陆羽，那时候中国茶文化已经是鼎盛时期了，似乎已经被文人们喝得不能再讲究了，水的沸腾度、汤花的绵厚度，都有很多名堂，各道程序看得人眼花缭乱，文字说明多得都看不下去了，其实，到了崇尚雅意的宋人这里，茶的讲究才真正开始。

宋朝繁华，制茶工艺已大有改进，宋太祖赵匡胤自己嗜好饮茶，在宫廷中设立茶事机关，宫廷用茶已分等级。茶仪成为礼制，赐茶已成为皇帝笼络大臣、眷怀亲族甚至向国外使节表示友好的重要手段。文官集团中出现了“汤社”等专业品茶社团。至于民间，茶文化更是生机盎然，有人迁徙搬家，邻里要“献茶”；有客来，要敬“元宝茶”；订婚时要“下茶”，结婚时要“定茶”，同房时要“合茶”，亲友聚会更是离不开茶会，社会生活的角角落落，到处飘拂着茶的清香。

单说采茶的讲究就胜唐一筹，是采茶的人需五更天上山采摘，水乡满目酝酿着春的气息，让人熏陶在迷惑中，太阳出来之前要收工，未受过日照的嫩芽才是肥嫩滋润，天地灵气之精华。就是这样的新茶，在宋代这个社会备受追捧。

众多的程序之后，那煎茶更是技高一筹。

龙焙今年绝品，谷帘自古珍泉。雪芽双井散神仙。苗裔来从北苑。

汤发云腴酽白，盏浮花乳轻圆。人间谁敢更争妍。斗取红窗粉面。

苏东坡无疑是性情中人，也是喝茶的高手，他用陈年的雪水煎茶，收集的雪水煎至最合适的温度，再冲入盛放着茶膏的茶盏之中，等着雪白的泡沫高高浮起，想必是最有期待的意境，词人们的欣喜难以形容。

细细品味，此乐何极？

想来，品茶是有闲，举国都闲，这样的情景之下，生活慢起来，慢到什么都不再重要，不再去理会。国都亡掉了，待迁之汴梁，茶楼依然甚多，人们约会相聚，大多邀于茶楼。与北宋相比，社会各阶层饮茶风气更盛，将宋代的茶文化推向极致，由于南北饮茶文化的交流融合，临安城中酒肆、茶坊更是遍布坊巷间，以此为中心的茶肆文化崭露头角。

当然，喝茶品味与茶肆都是分等级的，皇帝大臣、文人雅士、士卒平民，都有属于自己的场所，以点缀生活。

饮茶风习的普及，推进了宋代的茶文化朝着艺术化的高阶迈进，两宋以茶为主题的诗作屡见不鲜，其中描写饮茶胜境的佳句更是层出不穷。如范仲淹的“鼎磨云外首山铜，瓶携江上中泠水。黄金碾畔绿尘飞，碧玉瓯中翠涛起”（《和章岷从事斗茶歌》）；林和靖的“潏潏药泉来石窦，霏霏茶蔼出松梢”“阁掩茶烟晚，廊回雪溜清”（《湖山小隐二首》）；陆游的“青云腴开斗茗，翠罂玉液取寒泉”（《晨雨》）；范成大的“烦将炼火炊香饭，更引长泉煮斗茶”（《题张氏新亭》），等等。泡茶时，汤水所蒸腾起的氤氲之气，饮茶时茶味在齿颊留下的芳香以及茶汤沁入肺腑的温馨感受，都给宋人带来了充分的享受和愉悦之感。

不但品味生活，还要将之作为娱乐，还要玩出花样，比如行茶令。浙江乐清人王十朋《梅溪文集》中说道：“予归，与诸友讲茶令，每会茶指一物为题，各举故事，不通则罚。”所举故事，都与茶有关，答错则输。输者只许闻茶香，眼巴巴地看着别人饮茶。宋代济南女词人李清照常与丈夫、著名金石学家赵明诚行茶令，十有八九都是赵明诚败北。

还要玩出魔术，这就有了分茶。在往茶碗里注水的同时，用调茶工具击拂拨弄，使茶汤表面的泡沫幻化成鸟兽虫鱼、花草、流云等各种图案。

分茶何似煎茶好，煎茶不似分茶巧。
蒸水老禅弄泉手，隆兴元春新玉爪。
二者相遭兔瓯面，怪怪奇奇真善幻。

纷如擘絮行太空，影落寒江能万变。

银瓶首下仍尻高，注汤作字势嫖姚。

杨万里的这首《澹庵坐上观显上人分茶》写得神乎其神，在这场茶艺表演中，细腻的末茶与水相遭，在黑釉的兔毫盏盏面上幻变出怪怪奇奇的画面来，如纷雪行太空，又如泉影落寒江。犹如淡雅书朗的丹青，或似劲疾洒脱的草书。如此境界，这位分茶者显然是位老手了。

山东人王千秋流寓金陵时参与过几次豪贵人家的茶宴，写出了更为形象的《风流子》一词：

夜久烛花暗，仙翁醉、丰颊缕红霞。正三行钿袖，一声金缕，卷茵停舞，侧火分茶。笑盈盈，溅汤温翠碗，折印启缃纱。玉笋缓摇，云头初起，竹龙停战，雨脚微斜。

清风生两腋，尘埃尽，留白雪、长黄芽。解使芝眉长秀，潘鬓休华。想竹宫异日，衮衣寒夜，小团分赐，新样金花。还记玉麟春色，曾在仙家。

豪贵人家的夜宴，酒阑歌舞歇，正是分茶时，主持分茶的还是一位美女，她技艺高超，笑盈盈不慌不慢，纤如玉笋的手下，起落间有云起龙飞之妙。这样的茶汤，喝下去后真是清风生两腋，简直能让人永葆青春呢。这样精绝的小团茶，从哪里来的呢？是皇上御赐的。这茶树的种子，是仙人家里的。这场浩大的分茶意境真实地反映着宋代人心目中的极品人生：既富且贵，青春长驻，美女簇拥，闲适风雅。

既然说到茶叶是皇帝御赐的，那么，分茶的高手之高高手，那当然要数当时的极品皇帝徽宗赵佶了。宠臣蔡京在《延福宫曲宴记》记述了这样一件事：“宣和二年（公元112年）十二月癸巳，召宰执亲王等曲宴于延福宫……上命近侍限茶具，亲自注汤击拂，少顷白乳浮盏面，如疏星朗月。顾诸臣曰：此自布茶。饮毕皆顿首谢。”徽宗亲自分茶让群臣观赏，日月星辰都在茶盏之中显现，似乎是一位印象派大师的杰作，这也许就是最高的境界吧。

宋朝人就是这样，在回味无穷的品饮中，度过一个个春秋，打发岁月，风华了一个朝代。对于我们今天快速的生活节奏来说，学习宋人喝茶品茶倒是一种调节身心的好方法，用古瓷来冲泡香茶，让茶香与瓷香交汇互融，且当一回宋代人吧。

一壶茗茶，可解那万霎的忧愁，心情顿好。

小园香径独徘徊，香如故

一曲新词酒一杯，去年天气旧亭台。夕阳西下几时回？
无可奈何花落去，似曾相识燕归来。小园香径独徘徊。

晏殊的这首《浣溪沙》是宋词小令的代表之作，清丽脱俗之辞，曲转无限嗟叹之情见长，景中见情，情中有思，可以说是开了宋朝小令的先河。

晏殊仕途显贵，十四岁以“神童”入试，宋仁宗朝官至宰相。在我们看来，位极人臣而又能务进贤才，一代豪门必是欢声笑语。可是细细读到他的句子，繁华背后，有人生的种种寂寞和无奈。

一曲新词酒一杯，去年天气旧亭台。在闲适自得的日子里，把酒言欢，听曲暖暖，在这样酒醺微醉的情境之下，情不自禁追忆起去年今日来，景色美丽依旧，心情却难以回归当年的愉悦。夕阳西下几时回，笔锋一转，从略带悠闲欢愉的心态，忽然变换为暮色夕阳下的伤感忧思，生命流逝的无限感叹。

无可奈何花落去，似曾相识燕归来。这一联是这首小令中最为人称道的一句，也最为人们熟知，花开花谢，岁月更迭交替，这一切本来就是人力所无法控制更改的自然变化，时光不留人，逝者如斯夫，虽是痛惜美景不再，留恋昔日的欢乐，也是徒然。“无可奈何”四个字将晏殊的惋惜心情，清晰地展现出来。再度归来的燕子，是去年来此处的旧相识吗？

在花香满园的小路上独自徘徊，晏殊在想些什么呢？思念些什么呢？恐怕更多的是袅袅的惆怅了。

晏殊的词集叫《珠玉词》，这名字和他词的风格实在契合，真是珠圆玉润。也就是这珠圆玉润的晏殊词，闪耀着淡淡的诗意的生命之光。读他的词，我们常常身不由己地陷身其中，又跟着他茫茫然地从中走出。在这来来回回中，我们也一次次品尝着岁月的流逝却无望，甚至有人生的苦痛。

绿树归莺，雕梁别燕。春光一去如流电。当歌对酒莫沈吟，人生有限情无限。

弱袂萦春，修蛾写怨。秦筝宝柱频移雁。尊中绿醑意中人，花朝月夜长相见。

现在春风吹到了家门，可是不多久，莺归燕去，春天就像一抹电光一样流走了。那么人生有限，人在这岁月里留下的深情，却是无限的。晏殊这里说的是男女之情，希望杯中有酒，心中有爱人，尽情享受花朝月夕的好时光。

这首《踏莎行》传递出来同样的喟叹。突然觉得时光是个令人生疼的字眼。日子过半，是不该的，可也不由己的。原来在时光的河流里流淌，我们都得承认自己是无能为力的。在太平朝代，要做的就是享受吧，所以，晏殊非常喜欢与客人畅饮，欢笑达旦，甚至大多时候是突然决定宴请宾客，要是几十个人，没有提前准备筵席，这可如何是好呢？晏殊踱步微笑：那就先端酒上来吧。大家入座，我们来歌乐相佐，谈笑作词，把酒言欢，“酒筵歌席莫辞频”“不如怜取眼前人”。

他这种生活作风与词风同时也直接地影响了另一个人的命运，这就是他的儿子晏几道。

晏几道是晏殊的幼子，同样才华横溢，在富贵之家成长，未免年少轻狂，斗鸡走马，纵横诗酒，小令拿捏得心应手，在几道26岁的时候，就是宋至和二年（公元1055年），晏殊去世。贵为相门公子的晏几道沦落为一介布衣，过去“门前桃李重欧苏，堂上葭莩推富范”的一代豪门已经烟消云散。

等到神宗熙宁七年（公元1074年），晏几道因好友郑侠上《流民图》反对王安石变法受到牵连，身陷囹圄。遇大赦回家之后境况日下，四十多岁时才做了小官，晚年甚至到了衣食不能自给的程度。他既不肯依附权贵，又拙于谋生，只能通过缅怀既往的辉煌岁月，来安置失落的心灵。

梦后楼台高锁，酒醒帘幕低垂。去年春恨却来时。落花人独立，微雨燕双飞。

记得小苹初见，两重心字罗衣。琵琶弦上说相思。当时明月在，曾照彩云归。

时不待他，在他后半生的神宗时代，是苏轼主导的慢词黄金时代，晏几道却更加沉醉在阳春白雪般如这首《临江仙》的小令创作里，只写那些回肠荡气的男女悲欢离合，无法喜闻乐见。

苏轼曾对晏几道拒绝慢词、坚持小令的做法十分纳闷。一次，苏轼亲自来拜访晏几道，想和他谈谈心。晏几道从破旧的屋子里踱出来，相当傲慢，当今朝廷高官，多半是他晏府当年的旧客门生，他怎么会看得起这位新人呢？于是，转身掉头回屋。

当时已名满天下的苏轼自然悻悻而回。

这么一个任性倔强的落魄公子独自在微雨落花之下，徐徐地行走在花香满地的小径上，这么一位不谙世事的豪门公子依然及时行乐沦落烟花巷中，歌酒与回忆是人生的唯一主题。

在现实面前，文人永远都显得那么脆弱，在时光的面前，词人唯将它化成伤感的回忆，当晏殊、晏几道都已经“零落成泥碾作尘”，唯有词，香如故。

烟波渺渺，风流满园关不住

波渺渺，柳依依。孤村芳草远，斜日杏花飞。江南春尽离肠断，苹满汀洲人未归。

这首《江南春》清丽宛转，一泓春水，烟波渺渺，不禁令人心驰神往，眼前仿佛看到了一幅如诗如画的美景，岸边杨柳扶风依依袅袅。远处几个在天地间显得孤零零的小村庄，四周青青芳草绵延到远处、天边。在斜阳余晖里，杏花纷飞飘舞……是梦，是诗，还是画？

如此细腻的笔触，柔情似水的感受，谁能料到这竟出自以“刚直不阿”、名留千古的莱国公寇准之手呢？从容决策澶渊之战的寇莱公，内心竟是如此温柔多情。

可见，历史被文学家演绎与塑造，谁会知晓历史人物的全部面貌。今人如我们走遍万水千山，看遍古今中外，也许只了解历史真相的一个侧影罢了。

都知晓寇准的正派个性，史载“准为相，守正嫉恶，小人日思所以倾之（《宋史·毕士安》）”。寇准死后，当朝皇帝宋仁宗也“赐谥曰忠愍”，可见他的为官之道和为人之本——不去迎合附势。想当年，初出茅庐之时，竟敢在宋太宗发怒离开的时候，拉着皇帝的龙袍，让他重新坐下，一直到问题解决。这可是冒着杀头的危险啊。所以，宋太宗深有感触地把寇准和唐太宗时著名的“诤臣”魏征相比，他说，“朕得寇准，犹文皇之得魏征也。”唐代以后，做臣子的能被皇帝看作魏征，应该是最高的赞赏了。

寇准正直，处事就难免失于“诤”。一次，寇准和温仲舒骑马并行。一个疯子拦住寇准的马，向他三呼万岁。寇准的政敌枢密院知院张逊得知后，派人向皇帝密告，说寇准有异心。寇准便和张逊在太宗面前激烈争吵，相互揭短，弄得太宗龙颜大怒，撤了张逊的职，也把寇准丢到青州当知州。

不过，太宗深知寇准的才干和秉性，把他外放只是想让他知道教训。这下一看不到寇准，便总是念叨他。一年后，太宗下便召寇准回京，并升为副宰相。寇准回京后，太宗正害着严重的脚疾，行走不方便。见到寇准后，他特意让寇准看自己的足疾，然后假装责问他：“你怎么来得这么迟呢?”其实，这是他有意显示和寇准的亲昵情感。寇准却不冷不热地说，“臣非召不得至京师。”这话差点儿没把太宗噎死，简直一个“茅坑里的石头”，又臭又硬。

寇准因做“诤臣”而出了名，朝内大臣几乎都惧怕和忌恨他，后有人曾戏称此种情况为“寇某上殿，百僚股栗。”把人家好端端的臣子吓得腿肚子直抽筋，寇准也算是个厉害人物。

他的刚直不阿有着更大的用途。契丹国主与其母萧太后入侵中原，二十万大军越过瓦桥关，攻高陵，直抵于澶渊，即将饮马黄河，直逼中原。朝内闻得消息，顿时乱作一团。殿外朝臣走动，殿内争论不休，是战是降，众说纷纭。即便屁股下面是龙椅，当朝皇帝宋真宗依然如坐针毡，问宰辅们计将安出。作为诤臣，寇准当然力排众议，坚主抵抗，寇准为了让真宗亲上战场督战，还夸下海口："陛下欲了此，不过五日尔。"等到真宗真的出行，寇准在后方运筹帷幄，终于取得这次抗敌战争的胜利，最后，宋辽达成和议，即为"澶渊之盟"。

澶渊合议，宋朝允诺辽国每年三万岁币，宋朝繁华，三万贯对宋朝每年的巨大的财政收入来说不值一提。一笔损失不大的买卖，换来长时间的和平共营，尽管寇准主张不给，但这似乎比较符合真宗的意愿。

大宋经过三朝经营，户户轻烟飘舞，处处春光无限，作为宰相，寇准在这繁华一朝的享乐奢靡也开始了。

这是众人少知的一面。历来的唱歌跳舞、公款吃喝，寇准一次都不会错过，不但如此，他还常常组织同事朋友们通宵达旦地宴饮。入夜，寇府总是高朋满座、灯火辉煌，就是马棚、茅厕这些地方都彻夜点着蜡烛，往往烛泪成堆，朋友戏称他为"泪成堆"。

至于玩，寇准也是花样百出，什么都喜欢玩，什么都会玩。每年生日，他都会早早搭起彩棚，广发请帖，大摆宴席，十分铺张。寇准喜欢跳"柘枝舞"，这是从西域传到中原的舞蹈，跳之时，穿着五色绣罗的宽袍，腰系腰带及金铃，动作明快，旋转迅速，同时，注重眉目传情，眼睛富于表情。亲，你能想象寇宰相跳舞的样子吗？寇准经常邀请文朋诗侣在家里开舞会，夜以继日，如痴如醉，时人送他一外号，称为"柘枝颠"，可见其跳舞技艺之高超。

奢华如此，倒是他的口碑不错。后来，宋仁宗时期的宰相夏竦也追求豪华，生活奢侈，但议论的人很多，他十分不解，便对幕僚说，寇准生活

天舒

奢侈，生前死后皆无非议，怎么到了我这里，那么多人讲怪话呢？

幕僚给夏竦讲了一个故事：寇准做官，经常与下属一起郊游、野餐，有一次喝得正起劲，路上传来一阵毛驴的铃声，派人一问，原来是一个任期已满的外地县令驮着行李路过，虽然素昧平生，但寇准却像对待老朋友一样，热情地邀请县令同席，开怀畅饮，其乐融融。寇准对待陌生的路人都相敬如宾，而您身为宰相，不但不与大家同乐，对待部下同僚却连最基本的礼节都没有，被人非议是理所当然的。幕僚的意思是，你夏竦日后得多向寇准学习啊。

这就是生活中真实的寇准。这也是一代文人的时运，他们赶在了最好时光。进入太平盛世，平过天下，治了国，齐了家，而修身功夫也不差，便是几多风流韵事，爱音乐、爱花草、爱酒水、爱美女，也成不了白璧之瑕，反倒有一园的芳香，关都关不住，探出墙去，香到今天。

一段浅斟低唱，随春水向东流

南唐以金陵为都，江淮地区为主要区域，李煜生长在标准的江南，从区域文化上，李煜就必然被赵宋家族啃掉。

江南迤逦，这方水土确实可以令人醉生梦死。寒冬季节，北方鹅毛嚎落，而江南，“怪得北风急，前庭如月辉。天人宁许巧，剪水作花飞。”诗人陆畅《惊雪》中说道，前院如月亮照耀一般明亮，谁会想到有一个美丽的仙人在云霞掩映的天上，用巧手剪水作花呢？江南的雪是花，仿佛带着江南人特有的细腻柔情。江南雪的韵味，决然不同于北方的雪，燕山雪花大如席的感觉像一粗壮的北方汉子一样爽朗，不会如花如蝶般轻歌曼舞。

这就是李煜生长的江南，赵匡胤铁骑尚未南下，李煜已经愿意向宋称父，当赵匡胤发出“江南何罪，但天下一家，卧榻之旁，岂容他人酣睡”的慨叹后，李煜的偏安一隅也便到了尽头。“肉袒以降”的李煜成了“违命侯”。

“违命侯”这三个字到底是殊荣还是羞辱呢？有人说，“好死不如赖活着”，然而，这个尴尬得有些卑贱的官职，好像并没有为李煜带来生的尊严。倒是人间的悲欢离合、春秋苦度，深深地扎疼了他的心。

爱妻小周后嘉敏被宋太宗赵光义看上，一时深陷水火。而这个时刻，李煜是怎样一种心情呢？

蓬莱院闭天台女，画堂昼寝人无语。抛枕翠云光，绣衣闻异香。

潜来珠锁动，惊觉银屏梦。脸慢笑盈盈，相看无限情。

这首《菩萨蛮》是不久前李煜和嘉敏偷偷约会的见证，那时候，嘉敏还是自己的小姨子，一派浓郁的诗意气氛，一个身居于蓬莱仙苑、容貌如天台仙女的女子，被李煜撞见，在雕金镂玉、琳琅满目的厅堂中，美人午睡，怎不撩动人之心扉？

随后便是二人热切的岁月。

相比于述说赵宋灭南唐，相比于述说李煜之文学成就，大家更愿意看看这三个人的爱恨情仇，小男女的爱恨情仇。国情危机，大周后病重，李煜却沉沦到和小姨子的那种欲罢不能的约会，这种逃避，真是别样的快乐。

他在《后庭花破子》中写道：

玉树后庭前，瑶草妆镜边。去年花不老，今年月又圆。莫教偏，和月和花，天教长少年。

“去年”和“今年”都是虚指，写美好的生活画面。天教长少年，他多么希望自己永远沉浸在少年无忧的美梦中。才高八斗在诗词，却无所作为在朝，来自北宋的压力已经一天天增大，他的梦不是自己的一片大好河山，依然是无忧的浅斟低唱。

周后娥皇、嘉敏二人是南唐功臣大司徒周宗的女儿，南唐史书记载均有“国色”，周后娥皇陪伴李煜的那几年，李煜常常在宫中营造销金红罗幕壁，镶以白金和玳瑁，并插上奇花异草，起个名字叫“锦洞天”，在其中作词嬉戏，每到七月初七“七夕”佳节，就命人用红罗绢装扮成月宫天河的情景，一派奢华靡丽。

他以为这是永恒的爱，这就是生活，不过比起妹妹嘉敏，娥皇无疑还是幸运的。她与李煜度过了幸福的时光，而嘉敏要面对更多的不幸。做个才人真绝代，可怜薄命作君王，亡国不说，妻子也被人羞辱，李煜词绝五代，但在皇帝中却是个笑柄。

哀其不幸，怒其不争。李煜的家国惨剧同他儒雅懦弱的文人气质脱不了干系。相传，李煜被俘后，曾与赵匡胤同席饮酒。赵匡胤给他来了个命题作文，以李煜手中的团扇为题，念上几句听听。李煜稍作沉吟，随即吟出两句《咏扇》诗：“揖让月在手，动摇风满怀。”对仗工整，意境也很好，充满文人小情调：揖让答礼的时候，团扇在手，如挥动一轮明月；扇子摇动，清风满怀，心旷神怡。赵匡胤听后却大笑：“好一个翰林学士。”李煜面容惨淡。

文人把扇，红袖添香，是古代雅士文人所追求的一种浪漫的生活方式。但是作为一代君王，这就未免显得小家子气。赵匡胤虽是靠棍棒起家的赳赳武夫，却是有资格嘲笑李煜的。想当初唐使徐铉盛来朝，徐铉盛称李煜博学多艺，有圣人之能。你赵匡胤有什么句子吗？赵匡胤说他尚未发达，一日路过华山，喝得大醉，竟在田里结结实实地睡了一觉。醒来之际，恰好一轮明月冉冉而出。赵匡胤口出一首“未离海底千山黑，才到天中万国明”，不知这句如何？徐铉大囧，这大气，“满怀之风”确实比不得。

在时间的长河中，每个人都在赶路。李煜选择在一个寂寞的黄昏上路。在中国最为浪漫的七夕节日，在李煜四十二岁生日，在一曲“春花秋月何时了，往事知多少！小楼昨夜又东风，故国不堪回首月明中。雕栏玉砌应犹在，只是朱颜改。问君能有多少愁？恰似一江春水向东流”（《虞美人》）之后，赵光义赐给他一杯毒酒。

不管如何忍气吞声，不管如何忍辱负重，赵光义最终还是没有放过他。雕栏玉砌应犹在，只是朱颜改。时光不再，改变的太多了。你还记得故国的花、月、雕栏吗？你还记得那无数的丘壑，那看不尽的风光，还有那人生的跌宕起伏吗？

你的那一江春水流去了哪里？每个人都曾经是个少年，以为长大梦都会成真，以为初登场就会一鸣惊人掌声雷动，谁知事与愿违，结果只是一身寥落无人喝彩的落幕。

几曲笙歌醉梦间，故国已换新君，一切终得变，李煜不属于宋朝，但与宋朝有着太多的联系，他的词为宋词奠定了基本的腔调，垂泪对宫娥的李煜似乎也凋零在了宋朝的花枝上。

沧桑月光下的心事

京口瓜洲一水间，钟山只隔数重山。
春风又绿江南岸，明月何时照我还？

宋朝的月亮就那么一个，可月下人的情怀，大抵也相同。王安石有这首《泊船瓜洲》，苏轼则有《水调歌头》：

明月几时有，把酒问青天。不知天上宫阙，今夕是何年？
我欲乘风归去，又恐琼楼玉宇。高处不胜寒，起舞弄清影，何似在人间？

政治上失意让人忘记了如今是何岁月，想要乘着清风飞上天去，又恐怕在月宫的琼楼里，捱不住九霄外的风寒，翩翩起舞望清影，原来还是人间的生活、故乡的月色最为美好吧。但愿平安，但愿长久一些，但愿我们可以共享这皎皎月色。他们两位写这个月亮的时候是不是都会想起“诗仙”李太白，月满西楼的时候，一起品读《静夜思》：

床前明月光，疑是地上霜。

举头望明月，低头思故乡。

漂泊天涯的游子无一日不思念故乡，才会有“举头望明月，低头思故乡”的苦思，梦绕魂牵，常盼归日，但当真正归来时，往往是近乡情怯！所以，王安石把舟停在京口慢行了。

《泊船瓜州》被后人历代传诵，是因为其中“春风又绿江南岸”一句，一个“绿”字妙不可言。这里是将“绿”作动词来用，从视角带出无限的想象空间，令人自然想到春天生动和万紫千红的形象，真是绝了。

还有更绝的是王安石的人生，著名文人、唐宋八大家之一，同时还是有名的政治家，曾大力倡议改革，集文人和政治家一身。

在开始那场著名的改革之前，淮南判官、鄞县知县、舒州通判、常州知州、提点江东刑狱等都曾经是他的头衔。当地方官期间，他在思考社会问题，摸索着如何变革。他曾高喊“内则不能无以社稷为忧，外则不能无惧于夷狄”，但当时的皇帝赵祯根本不理他。直到治平四年（公元 1067 年），年轻的神宗即位，王安石的政治生涯才发生了大变化，先是升翰林学士，后又提为参知政事，两度任同中书门下平章事。一场在 11 世纪搞得轰轰烈烈、沸沸扬扬的变革也拉开了帷幕。

不过，敌对阵营也立刻诞生并结盟。看一下王安石和神宗的敌人们：元老重臣韩琦、富弼，大臣司马光、文彦博，范仲淹之子范纯仁、苏轼兄弟，另外还有两个女人：曹后和高后。他们中有几个都是大名鼎鼎的重量级人物，这些人加起来组成的反对派，力量之大，对比之下，改革派这边从声势上处于下风，更像是王安石和神宗的一场独角戏，难度之大可想而知。

为什么要改革？在晚清以前的将近800年里，历史学家们都普遍认为王安石的变法“祸国殃民”。当然站在我们今天来看，变法确实必要，北宋经历了百年之后积病多多，静水之下暗流涌动。是的，没错，盛世的歌还在唱，繁华的曲也还在唱，词人的词也还在唱，柔情在世界的各个角落里膨胀，但谁都得承认，这个世界变了，早已不是太祖时候的繁华盛世了。否则，当年范仲淹也没有必要来个庆历革新，最后还抱憾而终。

在这次改革中，王安石把理财作为当务之急而摆在头等重要的位置上。颁布的变法内容涉及商业、农业、教育、军事各个方面。改革面之广，远胜庆历当年。总体来说，改革夺取了大商人的部分利益，照顾了农民的利益，但更多的是为了让国库充实。变法措施不可避免地抢走了贵族的“生意”，改革遇到了阻力。

结果是一个有远见卓识的变革，一个锐意进取的名相，终于在熙宁九年（公元1076年）告别政坛，改革偃旗息鼓，并引发持续的党争事件。

明月何时照我还？何时变法可以再进行，一个人的回去，必然是另一派人的贬黜，几经周折，变法几乎失去了原有的意义，而当王安石再次回来之后，已不复当年“不怕浮云遮望眼”壮烈和豪迈。美人白头，英雄迟暮，心有余而力不足，青山依旧在，已是几度夕阳红。所以，王安石在重得高位后，却多次请辞。

最终的最终，皇帝同意了王安石的请辞，王安石得以在老家江宁大自然的怡人风光中度过晚年，此间催生了不少清新的山水绝句，莲花开落，季节轮回，春风又绿江南岸，梦里江南花正好。

江北秋阴一半开，晚云含雨却低徊。

青山缭绕疑无路，忽见千帆隐映来。

这首《江上》便是其中之一。不了解他的人或许对他的这番闲情逸致颇为羡慕，何况“青山缭绕疑无路，忽见千帆隐映来”一句更有“山重水复疑无路，柳暗花明又一村”的豁达味道。其实，此时的他若真有如此雅致，大抵也是在遣散重压在心头的郁闷。中国古代不缺少山水来化解文人心结，而这些心结的大多数又和政治多少有些瓜葛。此时的王安石已经独守“半山园”，这是供他晚年排忧解闷的一亩三分田。对于一个胸怀大志的政治家来说，这是莫大的悲凉，尽管这一切反过来成就了中国古典诗词的一道美丽风景。

再后来，王安石把半山园捐给佛寺，自己搬到秦淮河边上的一所民房居住，傍晚渔舟里摇曳的灯火，燃亮了深青色的夜幕，江上的渔夫傍在船廊的木桩上酣睡，不时发出鼾声，万缕的思绪和着傍晚撩人的月色，他都想了些什么呢？

有一件意想不到的事，是苏轼来拜访过一次。王安石还是红极一时的宰相时，颇为清高的苏轼很少登他的门，现在苏轼的到访让他极为感动。他亲往迎接。苏轼先开口，用开玩笑的口吻说：“苏轼今天竟敢穿着这样一身便装——乡村野夫的便装来拜见大宰相。”王安石朗声大笑：“这些繁文缛节，这些琐碎的礼节，难道是为你我这样的人设计的吗？”

二人同游山林，诗酒唱和，相处甚欢。当然，他们还是谈到了政治，但是没有再去过多纠缠昔日的恩怨。而在文学上，他们是真正的知音。也许他们都知道，尽管有过去那么多的恩怨，他们的名字却是会一同流芳千古的。他们都懂得，在历史的长河中，官场的那么点荣辱得失是一朵浪花都激不起的，而他们杰出的诗词文章将永放异彩。

在苏轼回朝之后的岁月里，旧党内部又分裂为“洛党”“蜀党”和“朔党”三党，彼此之间争论不休，江湖中卧虎藏龙，人心又何尝不是？复杂的斗争持续，不过这些与王安石已经没有关系，他已安静地病死在秦淮河岸了。北宋也在王安石去世后的半个世纪走向了灭亡。

时间就是这样的流逝，谁是谁非，风月风云，都已经尘埃落定，唯一不变的是关于变法的辩论和争议在一直持续着，那个宋朝的月亮也一直在夜空，注视着苍茫的大地。

平常心，春赏百花秋观月

南宋佛教兴盛，《梦华录》载南宋佛寺数目到达四百八十座，有禅院五山禅院十刹之说。禅院五山是：余杭径山兴圣万禅寺、杭州南屏山净慈寺、杭州灵隐山灵隐寺、宁波阿育王山广利寺、鄞县天童山景德寺。禅院十刹是：杭州中天竺永祚寺、湖州道场万寿寺、温州江心龙翔寺、金华宝林寺、奉化雪窦资圣寺、天台国清寺、福州雪峰崇圣寺、南京灵谷寺、苏州万寿报恩光孝寺、苏州虎丘云岩寺，佛教风靡全国。

当时，上至朝廷、下至黎民百姓，几乎都与佛教有缘，遇上斋忌或生日都要请僧尼诵经求福或解脱。宋代的贵族还设有建造功德寺的特殊制度，亦称“功德院”，所谓功德寺，就是在王公贵族的坟墓处为表彰其功德而建造的寺院，僧尼就是守墓人。

佛教兴盛如此，但这些对于朝廷的统治却并没有什么帮助，倒是可以帮助心性修行，比如当时慧开禅师修行“平常心”。

春有百花秋有月，夏有冷风冬有雪。若无闲事挂心头，便是人间好时节。

善似青松恶似花，看看眼前不如它。有朝一日遭霜打，只见青松不见花。

面上无嗔是供养，口里无嗔出妙香。心中无嗔无价宝，不断不灭是真常。

佛在灵山莫远求，灵山只在汝心头。人人有个灵山塔，好向灵山塔下修。

佛在世时我沉沦，佛灭度后我出生。忏悔此生多业障，不见如来金色身。

手把青秧插满田，低头便见水中天。心底清净方为道，退步原来是向前。

千锤百炼出深山，烈火焚烧莫等闲。粉身碎骨都无怨，留得青白在人间。

三十三天天外天，九霄云外有神仙。神仙本是凡人做，只怕凡人心不坚。

这首诗歌是南宋无门慧开禅师所创作的《春歌》，表达了“平常心是道”的境界，“若无闲事挂心头，便是人间好时节。”在慧开禅师看来，如果心中了无牵挂，没有了凡尘俗世的干扰，那么一年四季，不论何时何地，都是好天气。这是佛性变化莫测所悟出的道理。能够悟道的人能在一笑之间幡然顿悟，而悟不出道的人，则是挠破头皮也想不出所以然来。

其实，不论是所谓的平常心还是无闲事挂心头，都是说起来容易做起来难的事情。这是一种自我境界的提升显示，表明当下才是最重要的，无须到未来遥不可及的地方去追寻。但是这种境界容易理解，却不容易做到。在无门慧开禅师的语录中有过这样的一条："赵州纵饶悟去，更参三十年始得。"就是说赵州虽然明白禅师的意思，也同意这样做，但他整整花了三十年的时间，才做到了和禅师一样的境界，达到了知行合一、理事圆融的境界。真正的美好并不能够被强行地留存到记忆中去的，这种情感只能在突如其来的那一瞬间被人们所领略，之后便是心思如漠漠烟云，荡荡而散去。

三十三天天外天，九霄云外有神仙。

神仙本是凡人做，只怕凡人心不坚。

每次读完这首慧开禅师所做的偈子，都会觉得禅师遗世独立于风中，站于山顶猎猎的风中遥望世间万物，那飘飘而落的柳絮将他的双眼染上洁白的颜色，任何的烦忧和困扰在慧开禅师的心里，都只如同那柳絮一般，轻轻飘来，又翩跹落去，毫无留恋与遗憾。

人世间的倾轧与世态看得太多，就明白了人生还是淡然些好。其实，平常心也是一种人们在日常的生活工作中经常会产生的心态，对于周遭事情和环境的一种态度，可以说是一种老庄思想，"不争，不抢，不贪，不虐"，这严格说起来也算是一种为人处世之道，是一种淡泊的心境。慧开禅师能达到此种境界，也是经过不断的修行和磨炼才得来的。

关于慧开禅师的生平也并不多见，可以考究的也就是无门慧开禅师俗家姓梁，是南宋的杭州钱塘人。他生于宋孝宗淳熙十年（公元1183年），死于南宋宋理宗景定元年（公元1260年），终年七十八岁，可以说是福寿双全而终。在禅师参禅入佛之后，他常四处讲经，为人们解惑，并且在淳祐六年（公元 1246 年）的时候，奉了宋理宗的旨意开创了让国仁王寺，在这座寺庙之中，他完成了流传于后世的“无门关”。

其实，在慧开禅师最开始剃度出家时，他并没有这样高深的智慧。在慧开禅师刚开始寻师访道之时，他一直没有成为大师的机会，一直到他在平江府（江苏省）万寿寺参礼，遇见了黄龙派下的月林师观禅师。月林师观禅师教慧开以参悟“无”字话头，这是慧开禅师顿悟佛法最艰难的时候，他每日对这“无”字苦苦思索，但始终没有结果，他没有参透任何玄机，依然找不到可以参悟的道路方向之所在。但慧开并没有放弃，他在佛前发誓，如果参不透这个“无”字的玄机，他就宁可不睡觉、不吃饭。

那一日，有一天，慧开在法堂内经行，参“无”字话头，寂寥中，从遥远的斋堂那一头，传来一阵一阵绵绵密密、如排山倒海般的鼓击，慧开胸中久远以来的疑团，顿然消失，豁然省悟，高唱偈颂：

青天白日一声雷，大地群生眼豁开。
万家森罗齐稽首，须弥勃跳舞三台。

这真是一派天淡云闲列长空，丽日高照大地春的气象。慧开就迫不及待地跑到方丈寮，想把自己开悟的心境呈现给师父，请师父印证。月林看到慧开的偈子，不但没有赞叹，却高声大喝道：“你在何处见到鬼又见到神了?”慧开见到师父大喝，也当仁不让大喝一声，月林又做狮子吼，慧开面无惧色又大喝，师徒这时才哈哈大笑，喝声、笑声交织成一片天籁，回荡于堂宇檐下。

禅，的确需要不惧不退的大勇才能承担。慧开禅师在坚持不懈了好多年之后，终于开悟，从而踏上成为一代宗师的路程。

庄子说过："不刻意而高，无仁义而修，无功名而治，无江海而闲，不导引而寿。无不忘也，无不有也，淡然无极而众美从之。此天地之道，圣人之德也。"而慧开禅师在开悟之后也明白了这个道理，执着于一件事情有时候并不见得是正确的，虽然他执着地追寻了佛理很多年，希望能顿悟"无"字中的禅机，但他真的悟出佛理时，他才明白，其实一切皆是虚妄，就如同"无"字本身一样，根本毫无意义。所以，他认为人生应当有所忘记、有所释怀、有所放弃，这样才能够完美。禅师与庄子相似，庄子认为百里奚之所以能将国家治理得当，那是因为他在养牛的时候能忘记身份的贵贱，之后在他当上宰相之时，才不会被眼前的利禄所蒙蔽，能够依然头脑清醒地治理国家，而且对于人生，他无所畏惧死亡，所以才能笑对生活。这一切皆是源于忘记的真理，而忘记则是"无"字的最终解释。

其实也可以说，这是平常心的另一种解释，在慧开禅师的阐述之下，便有了这样一首《春歌》的唱起。其中所讲到的种种情景，皆是世人为之苦恼的，但在慧开禅师看来，不论是四季的风云变幻还是景物的更替循环，这都是没什么大不了的。慧开禅师的心性也为当时的宋理宗带来过福音。在一次久旱不雨的情形下，宋理宗请禅师请雨，禅师却只是淡然回答说，"寂然不动，感而后通。"之后不久果然天降大雨。且不论究竟是禅师感动上苍，还是其他原因，单就那一份淡然便是值得后世敬仰的。

慧开禅师的《无门关》一书，有序文曰："大道无门，千差有路。透得此关，乾坤独步。"正是道出了禅师的性情，他所看重不是世间一切，而是心性为安，心安之，则性淡之。顿悟的那一刻，慧开禅师终于领悟到了自己追寻一生的是什么。

词酒流年里，风月共醉

酒后的苏东坡，一个人，一匹马，在春天的夜里闲逛走，脚下是浅浅流动的溪水，那天上的月亮旁边有几丝微云，“缓步困春醪，春融脸上桃”（《菩萨蛮》），走累小憩时候，他下马躺到芳草之上，琢磨起一首新词。

晏殊呢，喝了一小杯绿酒后，醉了，睡觉去！“绿酒初尝人易醉，一枕小窗浓睡”（《清平乐》），一枕浓睡醒来，已是夕阳西下，梦中是否想好了如何表达这种醉意？

那酒与宋词，还真是剪不断的情绪，注定连在一起了。

灯红酒绿处处笙歌，怎能不喝酒？就连老夫子司马光也难免做一首《西江月》抒发一下：

宝髻松松挽就，铅华淡淡妆成。青烟翠雾罩轻盈，飞絮游丝无定。

相见争如不见，有情何似无情。笙歌散后酒初醒，深院月斜人静。

2017.8

平时一本正经的儒家大师，欢乐聚会上也多喝了几杯，喝了酒惝恍飘忽，也觉得人家跳舞的姑娘色艺之可爱，惹动情思。

> 此夕几年无此晴，碧天万里月徐行。
> 官垆卖酒倾千斛，市里行歌彻五更。
> 潼酪独烹僧钵美，琉璃闲照佛龛明。
> 颓然坐睡君无笑，宝马香车事隔生。

这就是宋代的社会生活，生活稳定，城市中处处有酒，便是穷乡僻壤，三里五里，都必有酒旗招摇，人们对酒的需求程度不断增加。农业生产力提高，粮食产量丰富，国库粮食收入的三分之一，都拿来酿酒，酒坊十里开外弥漫酒香，迷醉多少词人。

从陆游这首《丁未上元月色达晓如昼予斋居属贰车领客》诗中可以看出，当时人们的日常饮食、交际宴请、馈礼酬答，都离不开酒，造酒、卖酒也是国库重要的收入来源。

“官垆卖酒倾千斛”，卖官酒，当时还让官妓们当垆卖酒——这事王安石变法时干得最欢，他命令把酒肆建到城门口，弄一堆浓妆艳抹的美女在里面唱歌跳舞，有老百姓出城，就上来抛媚眼儿拉拉扯扯——买酒了、买酒了……

其实不用这么风情，大家也是照样疯抢。“不向尊前同一醉”（《破阵子》）、“相看莫惜尊前醉”（《鹊踏枝》）、“一曲新词酒一杯”（《浣溪沙》）。那么多人喝酒，怎么会没有喝酒的高手？唐代李白被誉为“醉仙”，白居易自称“醉尹”，连皮日休也获得“醉士”的雅号，那么，宋代饮酒大师在饮酒成风的朝代里练就出来，应该不比唐人逊色。

宋代饮酒的第一号名家，应该是以诗酒豪放自诩的石延年。他的诗，风格奇峭深美，比如《寄尹师鲁》：

十年一梦花空委，依旧山河损桃李。
雁声北去燕南飞，高楼日日春风里。
眉黛石州山对起，娇波泪落汝如洗。
汾河不断天南流，天色无情淡如水。

他喝酒的方式也十分怪僻：披头散发，赤脚戴枷而饮，这叫作囚饮；坐于树枝丫上饮酒，这叫作巢饮；用稿草捆扎于身，伸颈而饮，饮后复缩进草束之中，这叫作鳖饮。简直狂放得有点病态了。

石延年的酒兴与酒量，更是令众人甘拜下风。他在海州任通判时，另一位超级喝酒能手刘潜专程来访。石通判到刘潜乘坐的船上回访，两人对饮，从白天喝到半夜。酒坛子快要见底了，一时又难于上岸买到酒，便在船上寻了一斗多醋，掺入酒里再喝，第二天一早，酒与醋全都喝光。到最后也没有分出胜负，只好再约比赛。

后来，两人到东京城王家酒店对饮，一整天只喝酒不说话，待到天黑之后两人都没有醉意，相揖而去。最后谁赢了，史书没记载，不知道，我们只需知道这神采奕奕的故事就好。

喝酒怎么能没有行酒令？对于宋人而言，他们不但从饮酒过程中寻求欢乐和刺激，还往往把自己对酒的认识与理解通过行酒令表述出来，而后再由行酒令发展到“小词”“散曲”等。这是一种文人交往、酬酢的小雅文化，即由“斗酒”到“斗才”。斗来斗去，斗出的是生活情调，是俗态中的风雅。

大文豪欧阳修与友人饮酒行令，就要求每个人作的两句诗必须触犯刑律。其中一人说：“月黑杀人夜，风高放火天。”另一人说：“持刀哄寡妇，下海劫人船。”轮到欧阳修，他慢条斯理地说：“酒黏衫袖重，花压帽檐偏。”众人一听，大惑不解，问他为何诗中没有犯罪内容，他说：“喝酒都喝成这样了，再严重的刑律也能犯下了！”众人相视大笑。

如此，推杯换盏之间填写出来的诗词怎不带着酒味？你看，那词牌名本身就酒水沾染：“醉梅花”“调笑令”“天仙子”“水调歌”“荷叶杯”“醉公子”……

黄菊枝头生晓寒，人生莫放酒杯干。风前横笛斜吹雨，醉里簪花倒著冠。

身健在，且加餐。舞裙歌板尽清欢。黄花白发相牵挽，付与时人冷眼看。

从这一首《醉梅花》看，词人黄庭坚都这都喝成什么样子了，不但酒杯不离手一口气喝醉了，还带着菊花满城奔跑，那是怎样的场景？文人士大夫饮酒作乐，司空见惯，而女子饮酒在当时也是常有之事，爱喝酒的欧阳修还记叙了一个故事。

花底忽闻敲两桨，逡巡女伴来寻访。酒盏旋将荷叶当。莲舟荡，时时盏里生红浪。

花气酒香清厮酿，花腮酒面红相向。醉倚绿阴眠一饷，惊起望，船头阁在沙滩上。

采莲的人儿荡舟嬉戏玩耍，兴致浓时摘下荷叶当酒盏酣畅一饮，船儿一摇晃，酒盏也晃动，酒气荷香共芬芳，花面人面相映红，酒足人自醉，那就需要小憩片刻，待到醒来一看，自己的小舟搁浅在沙滩上了。多么静怡的时光，采莲女的岁月静好，还惊起了女词人李清照的“一滩鸥鹭”，她那《如梦令》也是在“沉醉不知归路”的醉酒状态下挥毫完成的。

李清照酒后之作不比任何一个男词人差，不信，让宋代的男男女女大词人们都聚到一起饮酒，醉后比比看。醉酒赋诗，他们都抛弃掉成见，来喝一场，来赋一曲，在历史的尘埃中绽放，那定是最美的场景。

夏之章

夏风旖旎

花开飘香，草木茁壮；白银滚浪，舟艇摇荡。宋词的夏日，是汉语诗词的黄金时代，物、事、人、情，一一飞扬，词人们在阳光下作词的画面甚是惊艳，这份旖旎风光永远被定格在了宋朝，终成无可超越的文学气象。

夜深灯火，一窗旖旎繁华

一个人翻看宋词，很容易坠落其中，这犹如一场旅行，暮色四起，而天边还有斜阳的余晖射入眼帘，细品细读，会发觉几分独属于宋代的风流诗情与画意。

那是个繁华异常的朝代，国库有没有钱、有多少钱我们不知道，但我们知道的是，百姓不穷。

也许这样的想法有些文人气息，但这是大众都想要的生活。这一点让今人羡慕，当然也让当时的金人羡慕，特别是大词人柳永的词《望海潮》传到金国之后。

东南形胜，三吴都会，钱塘自古繁华。烟柳画桥，风帘翠幕，参差十万人家。云树绕堤沙，怒涛卷霜雪，天堑无涯。市列珠玑，户盈罗绮，竞豪奢。

重湖叠巘清嘉，有三秋桂子，十里荷花。羌管弄晴，菱歌泛夜，嬉嬉钓叟莲娃。千骑拥高牙，乘醉听箫鼓，吟赏烟霞。异日图将好景，归去凤池夸。

那时的江浙各城里到处是烟柳拂岸的花桥，风帘翠幕遮掩了一窗的旖旎，店铺里买的是真正上等的丝绸，色泽艳丽，质感光滑，市场上陈列着珠玉珍宝，争讲奢华。整个城市就如同那闪亮的绸缎，晃着每一个游人的眼睛……循着桂花的清香，你望见西湖的一池盈碧、十里荷花，阳光下，她肌肤柔润舒展，苏堤仿佛一条玉带，轻揽着她的碧衣罗裙，波澜是她温柔的呼吸……

异常繁华吧？据说当时金国听了这首词后决定入主中原，当然这是文人讲史，有夸大的说辞，但也从侧面说明了问题。

来看看武大郎家是什么条件吧。《水浒传》里提及的武大郎，也不过是个县城里卖炊饼的小贩，他没有借高利贷也没有欠外债。他在异乡居住的条件呢？拿现在的标准衡量也是“楼上楼下”了！他的娘子潘金莲就更让人羡慕了，每天要做的就是在家打打扫扫帮帮忙，剩下的时间就用来搽脂抹粉，凭的就是丈夫供养着她。就更别提做着店铺生意的西门庆大官人的富贵了。

大宋在当时的世界，是一个富裕奢华的天堂。宋王朝在建立了自己的政权以后，汲取唐代藩镇割据、臣僚结党、君权式微的经验教训，努力确立君主集权，削弱臣下势力。宋太祖赵匡胤不愿意通过杀戮功臣、激化矛盾的残暴手段来达到集权的目的，而是通过一种类似于金帛赎买的缓和手段，换取臣下手中的权力。宋太祖“杯酒释兵权”释掉大臣的权力后，历代赵宋统治者不但不抑制，反而鼓励臣下追逐声色、宴饮寻乐的奢靡生活。对待文臣，皇帝也采取类似手段，待遇格外优厚。学者彭信威《中国货币史》中记载，仅就官俸而言，据考证，宋代比汉代增加近十倍，比清代仍高出二到六倍。生活环境的优越，就使得这些文人士大夫有了充裕的追逐声色享受的经济实力。宋朝就出现了大量的中产阶级，市民普遍过着富裕闲暇的生活。不仅如此，宋代也是最早出现城市化进程的国度。北宋首都汴梁和南宋首都临安都是超过百万人口的特大城市，十万户以上的城市由唐代的十几个增加到四十六个——“比汉唐京邑，民庶十倍”。而那汴梁城百万户家庭已经用煤生火做饭取暖，而非木柴，可这时候的西方都是用木头劈柴维持生计。

在这大都市里，看城市是否繁华或者繁华到什么程度，要深入到它的夜生活。

梁园歌舞足风流，美酒如刀解断愁。

忆得少年多乐事，夜深灯火上樊楼。

大儒朱熹的老师刘子翚，在宋室南渡之后，追忆当日帝京旧游而写的几首“汴京纪事”诗。其中第六首，赫然便是这首《忆樊楼》。

樊楼，乃京城的酒肆。据说雕梁画栋，规模宏大，官府允许其自家酿酒，远近闻名。夜晚的矾楼灯火通明，高朋满座，聚会内外，人声不断，喝酒，点侍女，那一排排的女孩，人面桃花，任君选择。一首诗寥寥几句便勾画了宋代汴京文人墨客的夜生活状况。

宋朝以前的城市因为宵禁几乎没有夜生活，太阳一落山，鼓楼擂响的“闭门鼓”就开始催促街市上或者小酒馆里喝酒唠嗑的闲散人员赶快回家。如果耽搁了，只能等到次日早上鼓楼敲响“开门钟”之后再回家。假如“闭门鼓”敲过你还在街上晃悠，被巡夜人员抓到了就是“犯夜”，等待你的将是二十军棍。

而宋代开始就不禁夜市了，加上商业发展，夜市更日趋繁荣。酒楼业因此盛极一时，除了类似于当今星级酒店的樊楼外，小酒肆更是多不胜数。宋朝城市的夜生活也是不亚于现代，在夜晚赶路游玩的人们都拿这各种各样的灯笼，四处灯火通明，叫卖声到天明。当时的相国寺是汴京第一大寺，有六十四院，里边可以容纳众多商家，同时也可以举办大型商贸和娱乐活动，市民争相观看。

夜生活，一个人想要的奇遇无非艳遇，在宋词中，我们可以看到一场盛大的狂欢——元宵佳节，那更是期待着一场美丽的给予。无关责任，无关功名，只有诗情。其实这一切并不难，倾城的男男女女都出动，久居深闺的女子，放风的快乐更是不言而喻，看灯，看人，于是遇见了。

众里寻他千百度，蓦然回首，词人辛弃疾的爱情也许就是在这样一个夜晚开始，高大威猛的辛大人，我年方二八，遇见你，元宵的灯只不过是一个明晃晃的背景，我们需要的只是爱情。

东风夜放花千树，更吹落、星如雨。宝马雕车香满路。凤箫声动，玉壶光转，一夜鱼龙舞。

蛾儿雪柳黄金缕。笑语盈盈暗香去。众里寻他千百度。蓦然回首，那人却在，灯火阑珊处。

江南春来早，当奇巧争艳的花灯把街巷占满时，柳树都已经抽条泛绿了。眼看千条万条要随春风摆动，有多少个姑娘，她们面容微笑，带着淡淡的香气站在树下等待。我远远就望见了你，你款款的衣衫微微扶风，星眼剑目飞入鬓里，顿时些许迷失在你年轻俊朗的容颜。

还有南宋衡州词人廖行之的《卜算子》：

云破露新晴，月上输清气。最是江城有底佳，灯火人烟沸。

行乐尽欢娱，眼界尤妍媚。多少江滨解佩人，邂逅无穷意。

火树银花，人声鼎沸，整个城市陷入欢乐的海洋。要是没有了节日，宋人的生活该会暗淡多少啊。宋人生活得是如此富足幸福，从没有“路有冻死骨”的贫穷与“国破山河在，城春草木深”的悲观绝望，只有“西湖歌舞几时休”的醉生梦死和无限繁华。在这样安逸的国度里，叫人怎能不为它的富丽堂皇而惊艳、毫无自觉地沉沦于其中呢？

时光不能倒流，这些繁华如斯，那个璀璨的盛都东京、昌盛苏杭都永远静默在了诗句之中，静默在了记忆之中，在观看或诵读时候令人神往。那夜色画桥有多少人轻颓地沉溺，那一窗旖旎在多少人眸中，缠回而清远。

追忆歌扇风情

世间尤物意中人。轻细好腰身。香帏睡起，发妆酒酽，红脸杏花春。

娇多爱把齐纨扇，和笑掩朱唇。心性温柔，品流详雅，不称在风尘。

柳永的意中人是啥样？这首《少年游》词明白如画地告诉了我们，你看柳永在词中直呼“意中人”，那应该就是他心中最完美的女子形象了吧。

她是世间美人，更是他心中所属意的人。她有着轻柔纤细的好腰身，从芳香艳丽的帷帐中睡醒起床，粉红色的脸颊犹如春天盛开的杏花。撒娇时最爱把弄那洁白的齐纨团扇，喜笑时团扇掩朱唇。这词中的女子性情温柔，属于安娴文雅一类，恐怕和柳永身边风月场的妓女们身份并不相称。

不知道柳永一生是否寻觅到这样的女子，倒是词中女子把玩团扇的形象深入人心了，一时掀起舞扇的风潮。

的确，借助扇子，才能够塑造出更多更美生活意境，词人陈允平也写了一首《少年游》：

翠罗裙解缕金丝。罗扇掩芳姿。柳色凝寒，花情殢雨，生怕踏青迟。

仕女们素手执扇子，微露粉脸，半藏笑靥，眉目间也竟因之而暗藏了一份秋波。那扇子上再点两笔朱砂，染一团胭脂，或是富贵牡丹，或是出水芙蓉，整个儿一个花好月圆，红颜相衬。谁知那纤巧的纨扇轻轻一挥，英雄们倒下了多少。

女子们所执拿的都是宋朝流行的团扇，也就是在古代仕女图都常看到的满月形或者椭圆形的扇子，扇上有柄，扇面一般都是有丝绢制成，几许轻盈，恐怕更多的时候是一种装饰品，它还总是与舞衣同时出现。

诗人徐陵在《杂曲》中用“舞衫回袖胜春风，歌扇当窗似秋月”的诗句赞美六朝陈后主与张贵妃游宴时歌姬歌舞的美妙情景，说歌姬舞衫的长袖回旋如春风一般，白色的歌扇对着窗户好像秋天圆圆的月亮，扇子的比喻如此形象，那歌舞的场面也就宛若眼前。

“舞衫歌扇，何人轻怜细阅?”大音乐家周邦彦从脂粉堆中抬起头来，沉迷于舞衫歌扇之中，伴红牙拍板曼声低唱，这情景就留在他的词《华胥引》中，“点检从前恩爱，但凤笺盈箧，愁剪灯花，夜来和泪双叠”。酒会欢乐场所，看着舞蹈，灵动轻盈歌扇飘过眼帘，往事也不由自主地呼啸而出。

轻盈的团扇用绢制的一个好处在于可以在上面刺绣，在夏日里扇上的精美图案，刺花刺小动物刺自己的心事，“玲珑绣扇花藏语，宛转香茵云衫步”，柳永在《花木兰》中说道，自己的心情与话语仿佛就藏在绣扇如花的图案中，宛转的舞步犹如云彩衬于香茵之上，女子们相互嗔笑，相互攀比，这是女子闺中乐趣，在夏日的灿阳下，几多风情。

然而，扇子并非佳人所专用，文人士大夫也是手持扇子，指点江山，激扬文字，苏轼《念奴娇·赤壁怀古》中那句“羽扇纶巾谈笑间，樯橹灰飞烟灭”给出了古代男人最佳的形象标准。文人用扇多不是为了什么凉快，更多是把它当一种把玩的形式。自魏晋时期开始，名士清客们已经开始手持饰物以求风度了。言语间，手挥指拂，俨然一副羽扇纶巾的风神雅致。周邦彦则很会用扇子展示生活的细节与情趣：

薄纱厨，轻羽扇，枕冷簟凉深院。此时情绪此时天，无事小神仙。

男人拿着的扇子上当然图案不多，那画什么呢？文人雅士们的题字居多，而富贵之人则倾向于奢华的装潢，苏轼弟子王安中有《安阳好》一词：

红袖小，歌扇画泥金。鸭绿波随双叶转，鹅黄酒到十分斟。重听绕梁音。

泥金装潢扇子，就是将金粉和胶泥制成装饰品，装饰扇纸，阳光之下，金光闪闪，怎么说这扇子的价值也在千金之上了，这些都与扇子的实用功能离得很远。

不过，宋朝南迁之后扇子的实用功能得以重新发扬光大。当时，苏杭城中虽然有无数美景，然而一到三伏天，那里的酷暑炎日是非常让人难以消受的。那批从北方随朝廷南渡偏安的皇宋达官贵人，在内殿朝参之时，虽然翰林司供给冰块以解暑气，然而被朝服官袍裹着真是热得受不住；即便在深宅豪门里，富室人家的子弟、妇人也只得终日手里摇着扇子解暑。

由于各式人等对各式扇子的需求量大大增加，扇子的门类品种多得数都数不清，所用的材料更是五花八门，翡翠、象牙、红木、青檀、黄金、白银等，应有尽有。

我们今天所使用的折扇其实已经在宋朝出现，但并未流行起来，对于宋人来说最好用的还是团扇，尤其是宋词中的主角——女子，扇子是她们风情的一部分，试想，她们要是拿着折扇，那该折了多少风情，手执团扇轻轻扇动，也许还会去扑打飞过的萤火虫，周邦彦《过秦楼》中朗诵而出，那会是文艺味道十足的场景：

> 水浴清蟾，叶喧凉吹，巷陌马声初断。闲依露井，笑扑流萤，惹破画罗轻扇。

多少红尘深景，沉醉如隔世花影

常记溪亭日暮，沉醉不知归路。兴尽晚回舟，误入藕花深处。争渡，争渡，惊起一滩鸥鹭。

那一年的百脉湖，莲花灼灼的深处有一叶扁舟慌乱地摇荡着。舟上是游兴未尽、酒意尚在的少年才女姐妹，她们趁着傍晚的暮色，抢着划呀，抢着划呀，从迷途中找寻出路的焦灼心情，把在洲渚上休憩的水鸟都吓得飞了起来。

这就是《如梦令》优美的场景，惹人心扉。每每让才女李清照回想起来，都觉得意犹未尽，沉醉不能自拔。也让今日的我们，在相隔千年之后，读到了一个少女内心的欢愉。

生命的交替更迭，总有些许薄凉。李清照还没来得及和母亲共度人间的种种欢愉，母亲便凄然远去。花落之后，一地凄然。时光之后，一纸寂然。生命中，有些时光就如同花季般凋谢了，那凋谢的声音又如同一首被遗弃在留声机里的歌，迷惘而又凄婉。

母亲过早离逝，父亲也不在身边，李清照自幼便生活在伯父家中。虽

然幼年没有至亲陪伴身边带来了亲情上不能表达的缺憾，但家族不俗的修养和底蕴以及伯父的仁厚德行，反而给予她宽容不苛的教育。于是，整个童年是荡漾在百脉湖上的欢歌，是堂兄妹之间的嬉闹，甚至是界限极为松散的成长。不关乎禁锢的封建礼教，自然如璞，清润通透。因此，李清照得以成长为率真伶俐的女童。

所以，李清照的前半生是锦衣玉食、吟诗颂词的安逸人生。作为官宦人家的千金小姐，她秀发香腮，面如花玉。她可以躺在闺房中，或者呆呆地看着沉香袅袅，或者与侍女斗一会儿嘴。她可以用柔美隽丽的诗词写着美好的人生，甚至，可以喝到酩酊大醉，沉醉不知归路。在我们这个纷繁芜杂的现代社会里，读出来一种清澈的乐感。

李清照在享受着舒适的生活的同时，并得到文化的教育。但她并没有按常规初识文字，娴熟针绣，然后就等待出嫁。自去汴京跟随父亲及继母居住，她便饱览着父亲的藏书，跟随父亲学作诗，文化的汁液将她浇灌得不但外美如花，而且内秀如竹。她的许多闺房诗词以感情细腻、辞藻清丽而闻名一时。这在很大程度上得自家传。因为李清照的父亲李格非就是当时齐、鲁一带的知名学者，做官一直做到礼部员外郎。李清照自幼聪慧，在父亲的培养熏陶之下，诗词文章一绝，善画墨竹，字写得漂亮也是远近闻名。

尽管父亲认为诗词只是男性才能表达的风骨，柔柔弱弱的女子根本不能将其驾驭。但李清照暗自想让父亲眼前一亮。结果呢，她让汴京、让整个大宋眼前一亮。当时的汴京，人们都在争相转述一个柔美隽丽的女子的词。人们给她词女之名。直至千载之后的今天，我们都不得不为《如梦令》中的“绿肥红瘦”之绝妙而惊叹不已。

昨夜雨疏风骤。浓睡不消残酒。试问卷帘人，却道海棠依旧。知否，知否？应是绿肥红瘦！

而此时，她已出落得越发美丽知礼、品流不凡。她已不再是山东济南章丘明水老家白云湖上欢歌对词的女童，她到了及笄的年岁，清润照人。这一年，她要像一只含香脉脉的蔷薇，待字深闺，迎接知遇的采摘。

蹴罢秋千，起来慵整纤纤手。露浓花瘦，薄汗轻衣透。

见客入来，袜刬金钗溜。和羞走，倚门回首，却把青梅嗅。

《点绛唇》一词详细再现了这个过程，是蓄谋已久的造访呢，还是姻缘促就的偶遇？我们无须过问太多，只是那天，那个男人站在门外轻轻叩响那扇木门。他是博雅沉稳的太学生，是金石收藏家，是世人眼中的少年英才，是映进清照眸里陌生青年的脸。出于及笄女子对生人的避畏，院内嬉耍的她慌忙跃下秋千，来不及整理被汗浸透的衣衫，来不及捋弄被风吹散的发丝，一路怯怯地闪过回廊去。只是那个俊朗少年的身影惹得清照的心频频回望。终于，隐没入一树青梅后，清照微微转了头，从那些枝叶的罅隙，她瞥见少年的脸。而此时门外的赵明诚，也被清照小鹿般的撞入眼帘。那些碎步羞怯的游走，恰如爱的微撼，让他的心走向这个才情不俗的女子。

李清照的爱情不似陆游与表妹唐婉，也不似罗密欧与朱丽叶，徒留下爱的悲伤，她的爱情一开始就跌在蜜罐里。赵李两家门当户对。更难得的是赵李二人除文学的雅兴外，还有事业的结合点——金石研究。在封建时代的父母之意婚姻下，二人能有这样的爱情，真是天赐良缘了。建中元年（公元1101年），十八岁的李清照嫁给了赵明诚。

于是，不久之后，李清照的美好人生又更上一层楼，为我们留下了一部爱情经典。婚后，夫妻恩爱，伉俪情深，一起致力于金石书画的搜集和整理，共同见证了东京汴梁的繁华岁月。而美满的爱情和家庭又为李清照的创作提供了优越的环境。“共赏金尊沉绿蚁，莫辞醉，此花不与群花同”（《渔家傲》），她颇带几分调皮地嬉笑于花枝花簇间与夫君耍玩的缠绵闯入我们的眼帘。

两人的婚姻如同青梅隙间碎落一地的明明灭灭的阳光，直白的幸福美好，全因了清照的脱俗与明诚的不凡。

然而这样美好的时光，在清照漫长的一生中，是极为少见的。不幸的事件接踵而来，父亲李格非因“元佑党争”远谪边郊，公公赵挺之对年轻儿媳的态度，也如日落西下转变。在那个父为子纲的时代里，这自然也影响了赵明诚对自己娇妻的态度。而这才是苦难的开始。

由于遭受封建社会的种种束缚，妇女们的活动范围有限，生活阅历也受到重重约束，即使像李清照这样的上层知识妇女，也毫无例外。因此，相对说来，她们对之后爱情的要求就比一般男子的要求更高些，体验也更细腻一些。所以，之后，当李清照与丈夫分别之后，面对单调、孤寂的生活，再加上国家的变故，便禁不住要借惜春悲秋来抒写自己的离愁别恨了。

倘若她不曾遇见那个秋千院边青梅隙间的身影，倘若她不曾遭遇爱情，倘若她不曾拥有词女之名，倘若只是平常的女子，或许只有愚昧的喜乐，简单得对镜梳妆，插上新鲜的花朵，以博得青铜镜里夫君怜爱的容颜。或者紧紧隐没在男人身后浓深的阴影里面，安然驯顺。一如那个时代女人共同的品行。倘若时光倒流，她馥郁的笔锋由浓转淡，人生还会有那么多哀愁吗？

没有倘若，于是，晚来，只留下李清照一人，三杯两盏淡酒，思故伤情。于是，清照不但好喝酒，而且还好喝烈酒，“险韵诗成，扶头酒醒。”（《念奴娇》）“扶头酒”并不是一种酒的名字，而是指酒性很烈，让人容易喝醉的酒。李清照不胜酒量，还非要逞能喝烈性酒。这一喝，就常常不省人事，睡一宿还醒不了酒。然而，喝再多的酒，喝再烈的酒，也都抵不过心头的愁。茫然地行走在杭州深秋的落叶黄花中，吟出这首浓缩了她一生和全身心痛楚的《声声慢》：

寻寻觅觅，冷冷清清，凄凄惨惨戚戚。乍暖还寒时候，最难将息。三杯两盏淡酒，怎敌它、晚来风急？雁过也，正伤心，却是旧时相识。

满地黄花堆积。憔悴损，如今有谁堪摘？守着窗儿，独自怎生得黑？梧桐更兼细雨，到黄昏、点点滴滴。这次第，怎一个愁字了得！

不错，怎一个愁字了得？还有多少美好时光？还有多少红尘深景？还有多少隔世的记忆？在饱经了人生的炎凉风霜后，她看到了许多别人看不到的事情，追求着许多人不追求的境界，这就难免有些悲哀。本来，两千多年封建社会，来来往往有多少人都在心安理得、随波逐流地生活。宋王朝仓皇南渡后不是又夹风夹雨、称儿称臣地苟延了152年吗？尽管与李清照同时代的陆游愤怒地喊道："公卿有党排宗泽，帷幄无人用岳飞（《夜读有感》）"，但朝中的大人们不是照样做官，照样花天酒地吗？你看，虽处乱世，有众多文人不是照样手摇折扇、歌咏岁月、琴棋书画地度过了一生吗？但是李清照却不那样做，她也做不到那样，国难、家难、婚姻之难都压在她那如黄花般瘦弱的身子上。

所以，这就难免有了超越时空的孤独和无法解脱的悲哀，她环顾女界无同类，再看左右无相知，所以她才上溯千年到英雄霸王那里去求相通：

生当做人杰，死亦为鬼雄。
至今思项羽，不肯过江东。

古往今来，还有哪个女子有这样的情感表达？

几年离索，最绝美的相思情

思念最绝美、最令人心痛的也许便是一怀愁绪，几年离索。这是宋词中最动情的相思故事，说给你听。

红酥手，黄縢酒，满城春色宫墙柳。东风恶，欢情薄。一怀愁绪，几年离索。错、错、错。

春如旧，人空瘦，泪痕红浥鲛绡透。桃花落，闲池阁。山盟虽在，锦书难托。莫、莫、莫。

这是关于人们争相传诵的大诗人陆游的故事，是那个心怀家国大事，临终不忘说“王师北定中原日，家祭无忘告乃翁”（《示儿》）的坦荡真君子。他戎马一生，气吞残虏，留下太多激扬沙场的诗作。在大多数人的记忆里，陆放翁只是那个耿直豪迈的大男人：砺须花鬓，胡风夹杂着沙砾将岁月一道道铲刻进他沧桑的面容。我们都以为，这个男人，他粗犷的生命里没有太多细腻哀伤的东西，直到，直到听到那一支钗哀婉凄绝的叹惋，直到，直到看到那一个年轻风华的少年。

那年初夏，陆游是满脸瓷润少年，他迎娶了清丽灵秀的表妹唐琬。那一顶花轿，那一扇朱门，那一袭石榴褶裙，那一枚溢光流彩的凤凰钗，都是幸福甜蜜的见证。两小无猜结为连理的感情，在那个时代实在难得。唐琬一样才华横溢，与陆游的志同道合，这一切的一切，使得这段婚姻近乎美满。

只是谁也难逃那个年代共同的命运。太过灼人的才华会招来旁人的嫉妒，同样，太过浓蜜的幸福也会被当作阻碍。陆游夫妇的恩爱无间与亲密感情却成为陆母口中耽误儿子前程的阻碍。于是，几经挣扎，却最终母命难为。陆游最终在母亲的逼迫下休了唐琬。现实的无奈阻挡不住相爱的两个人。陆游曾经另筑别院，安置唐琬，他似要拿最后的屏障来保护自己心中可人的爱妻，即使深深藏匿，也要继续相爱相守。但，终被陆母察觉那庭院深深掩藏的爱情，她命陆游另娶了一位温顺本分的王氏女子，而与此同时，唐家也将唐琬嫁于皇家后裔同郡士人赵士程。从此，相思无果，萧郎便是路人。

似乎故事快要到了尽头，其实不然，它继续谱写着，像一朵快要凋谢的樱花，即便快要香消玉殒，也要留下绚丽的色彩。

多年之后，陆游也早已中第，然而却仕途不畅，报国无门。唐琬的再次婚姻却也和满。似乎两人不会再产生交集，然而上天却让他们相遇了，这一次却是悲剧的终结。

那一日，陆游前往沈园游览。午后的阳光从树隙间落下，影影绰绰。那碎了一地的阳光，重又勾起陆游浅浅的思绪。虽然与新妻早已生儿育女，也能相敬如宾，可心里深处那个无奈的残缺是怎么也无法释怀的。陆游且行且环顾，就在那一秒，那一道回廊门洞，远处分明是那曾经日思夜念的婀娜的衣裙。此时，唐琬夫妇也同游此园。无人料及，这么年后，如此唐突尴尬的四目相对，如此突兀的遇见。那是曾经梦里千百次演练的场景吧。

只是只是，为什么那一秒我看你的眼眸依旧有恍恍惚惚的忧愁，或许你也与我一样，从不曾走出去。我们陷在往事的城，无力突围。

唐琬的新夫赵士程是知情明理的人，他宽容地笑了笑。对手足无措的唐琬说："你表兄来了，你们是亲戚，又多年不见，何不去聚聚呢?"于是，唐琬携了丫鬟并一壶好酒，轻步向陆游走去。那一路她走得短暂，可心里的等待却太过漫长。饮罢杯酒，这对曾经深深相悦的爱人缓缓诉说分别后事。他们终于直面那残酷无奈的结局，今生机缘已尽，复合再也不会有任何可能。唐琬斟满酒杯，双手举杯，齐眉之处，她深知，尽完这一杯，他们就从此是别人，不再能有任何纠葛。陆游眼中游荡着深深浅浅的不甘与不舍全部伴随这杯酒送入愁肠，此后肝肠寸断亦已完结。待表妹走后，陆游挥手写就《钗头凤》。

错、错、错，莫、莫、莫，几近撕心裂肺。与之相比，宋词中另外一首相思词清新别致，《一剪梅》写道：

红藕香残玉簟秋。轻解罗裳，独上兰舟。云中谁寄锦书来，雁字回时，月满西楼。

花自飘零水自流。一种相思，两处闲愁。此情无计可消除，才下眉头，却上心头。

面对似幻非幻、似梦非梦的月满西楼景致，女词人李清照对远方的丈夫生出了一份浓浓的思念，她牵挂着爱她的人，她爱她所爱的人。

这就是区别，独立沈园的陆放翁，任风霜浸透衣衫，浸透漫长而又短暂的岁月，浸透不堪回首的过去，浸透湖面拉下的长长倒影。当他人看到这首词时，会做何感想呢？会不会在心底砸匝撞撞、悲恸不已？

唐琬终也看到了这首词，那一字一词恐怕都将她的心底刺穿。伤情再难平复，于是唐琬和了一曲同样词牌的词。

世情薄，人情恶，雨送黄昏花易落。晓风干，泪痕残。欲笺心事，独语斜阑。难、难、难。

人成各，今非昨，病魂尝似秋千索。角声寒，夜阑珊。怕人寻问，咽泪装欢。瞒、瞒、瞒。

“山盟虽在，锦书难托”“欲笺心事，独语斜阑”。这样哀婉凄绝的叹惋，吟和的却又如此情味动人。相爱却不能相守，相知却无缘相许。就是这样的无奈伤情让唐琬自沈园回来一病不起，命运终将这如黄花般女子的性命毅然夺去，那年，唐琬年仅三十岁。

故事至此，也便告一段落了，他们那相思与愁绪就像心口的病痛，不出则已，一经碰触，便隐隐作痛，牵动全身。这种痛应该伴随陆游后半生，我们隐约看到曾经那个青涩痴情的少年渐渐长成沉稳敦实的男人。他不是哭哭啼啼，也不再满腹愁思，当年华走过他颧骨分明的脸颊，一段又一段投身报国的旅途历练了一个男人的意志。在他收放好爱情于心底那一刻，注满心扉的是隐忍的思念。

我理解这种情感，月满西楼时，你是否时常会思念所爱的人？多年离索，斜阑独语，一切放于心底，这种相思几多凄情、几多甜蜜。也许真正的爱情，并不需要什么在一起，因为真，其实在第一眼就已经深深沁入了你的骨髓之中，生生死死。

依然嗅到洛阳的芳菲

你是否会对某座城市念念不忘？并且发誓一定要再回去，经过长途旅行之后，再搭上一辆短途车，稍稍抬一下腿，坐进去，然后，朝着前方的暮色一直开去。

车速不快也不慢，是那种你闭上眼睛感觉不到速度，睁开眼睛却能看见路旁的树一棵一棵向后退去的节奏。暮色一层一层，更深了；心情一点一点，明朗起来。这时，车停了——洛阳城到了。

大诗人欧阳修在滁州时候时刻都想要这样的感觉。觥筹交错之后，山峦亭宇颠倒之后，或者是倦鸟衔花飞远之后。当喧闹归于平静，灯半昏，月半明，对洛阳的思念便开始了。

常忆洛阳风景媚。烟暖风和添酒味。莺啼宴席似留人，花出墙头如有意。

别来已隔千山翠。望断危楼斜日坠。关心只为牡丹红，一片春愁来梦里。

欧阳修最初就是在洛阳进入了官僚系统，二十四到二十七岁，最快乐、最无邪的日子就都留在了那里，似这《玉楼春》中所描述的一样，花开无数，同事间、朋友间会经常去看花，当时的上司钱惟演，吴越忠懿王钱俶的后代，为人洒脱，经常替下属考虑，并且带领大家一起欢乐。

那天，同僚们畅游嵩山，兴致正高之时，突然下起了雪，不知如何是好之际，却发现有人冒着风雪渡过伊水而至，原来是上司派来的厨子和歌妓。钱惟演让厨子和歌妓转告他们，府里公事简易，用不着急忙赶回去，派来厨师和歌妓，为他们赏花助兴。歌舞起，美酒上。长烟一空，皓月千里，把酒临风，此乐何极！

那段时间的确总是让人回味。有一次聚会，只有欧阳修和一名官妓姗姗来迟，上司钱惟演责问，怎么来得这样晚？姑娘回答："去乘凉睡了会，起来发现丢了支金钗，怎么都找不到，就把时间耽误了。"钱惟演板着脸道："那让欧阳修写首词吧，写得好，便不治罪，还把金钗补偿给你。"

池外轻雷池上雨，雨声滴碎荷声。小楼西角断虹明。阑干倚处，待得月华生。

燕子飞来窥画栋，玉钩垂下帘旌。凉波不动簟纹平。水精双枕，傍有堕钗横。

这是欧阳修应声当场写就的《临江仙》，表面上看来没什么，只是描摹场景。上片写夏日傍晚的雷阵雨，雨中荷花，雨后彩虹，楼中倚阑待月的人。下片写燕子飞来，一个房间，房间里的帘帐、凉席，水精枕一对，枕边的金钗一枝——为什么来晚了？枕边的金钗怎么会丢了呢？大家笑呵呵地相对不语，心知肚明。钱惟演也就批文一纸：金钗一支相送。

洛阳三年，青葱年华，花朵似锦，在离开那之后不断地怀念，念念不忘的是那场雪吗？是那顿酒吗？是那支钗吗？还是那些人？当然不是，那些岁月吧，我们的一生，就是那样子，我们住过的地方，我们遇见过的人，映照出来的，都是我们的年华老去，所以，我们才会去热爱那个城市，去念念不忘。以至于多年之后，在京师也好，贬斥路上也好，欧阳修总会痴痴遥望着洛阳的方向，思念那座城，那一去不复返的青春。

后来，欧阳修总是喝醉，风吹衣袖，多少的忧伤和落寞弥漫于心头？醉梦中也许会更容易回到洛阳的意境之中，因为那些年在洛阳，他喝了一场又一场的酒，怕是到现在都还没有醒来，醒来了怕惆怅心绪一如故旧，怕身体日益消瘦，细细寻觅，到处都有美景，可是为何年年还是会新添忧愁呢？

谁道闲情抛掷久？每到春来，惆怅还依旧。日日花前常病酒，不辞镜里朱颜瘦。

河畔青芜堤上柳，为问新愁，何事年年有？独立小桥风满袖，平林新月人归后。

过眼荒烟，当我们回头，旧物是否还在？每次酒醉后，他却总是那样清醒，如今繁华不再，志同道合之人甚少，山风一吹，些许的孤独在头顶打转，头发和胡须肆意凌乱，松竹在头顶簌簌作响，夜晚的空气倒是让人安详。他独自一人下山。

夜气慢慢升了上来，酒气在习习凉风中渐消，脚下的沙石路踩上去轻飘绵软，胃肠温热有余，口中似乎想要哼唱。只有这个时候，欧阳修才真正觉得这琅琊山是属于他的，这酿泉是属于他的，这醉翁亭是属于他的。包括这山间的夜气、凌空的落叶、归巢的鸟儿、淙淙的溪水……统统是属于他的。虽然来滁州做太守，政通人和，稼穑丰饶，是难得的好年景，按说整个滁州城都是属于欧阳修一个人的，全县的百姓都把他当作父母官。然而，只有在这个时候，当所有的朋友和仆人都被他打发走之后，他才觉得真正的快乐才开始慢慢地靠近。

一个人的酒后，这世界变得可爱起来。伸手可以抓到风的手臂，放眼可以望见月亮含笑的脸孔。夜晚的薄雾笼罩着琅琊，把岩石抚摸成温柔的火焰，将树影缝制成梦幻的衣衫。绛紫色的世界，一切都开始晃动。醉翁亭上钻出了成千上万只小飞蛾，它们各自夹着些许光芒，遍布山间。当欧阳修走到山下时，那些发亮的小飞蛾已经越飞越高、越飞越远，早已经和夜空中的星星混淆莫辨了。

像是回到了洛阳。“洛阳正值芳菲节，秾艳清香相间发。游丝有意苦相萦，垂柳无端争赠别。杏花红处青山缺，山畔行人山下歇。”（《玉楼春》）这座偏远的滁州城却令人意想不到地成了欧阳修压抑年代里的一块乐土，他让下属在官邸四周种了无数的鲜花。并在公文上批示道：“浅红深白宜相间，先后仍须次第栽。我欲四时携酒去，莫教一日不花开。”（《谢判官幽谷种花》）严肃的政府机关，就被他弄得花团锦簇，蜂来蝶往，满头花白的他坐在里面，乐颠颠地端起酒杯……

有一丝滑稽，可也真是让人肃然起敬，这也是欧阳修的绝代风流。政治上的恩恩怨怨都渐渐躲进历史，随风长逝，能够在欧阳修心中，在我们读者案头沉淀下来的永远是美丽的风景与过往的记忆，芳菲永存。

清浅时光里旅行的意义

不得不说，从旅行的角度，苏轼是很多人的偶像，一人走遍祖国大地。

而如今我们多数人，无数次沉溺于一场愿意畅游天下的梦，想象着自己到了泰山，到了天涯海角，到了彩云之南。同时，每一周最后一个下午依旧是疲惫地拖回一大包一大包或生或熟的食物，然后以一种极其懒惰的姿势度过那一两天免却大脑功能的周末。

浑浑噩噩啊，浑浑噩噩的生活，没有向远方游走一次。只能在诗词中跟随游弋，感受山水有清音，月明照平沙。

山色横侵蘸晕霞，湘川风静吐寒花。远林屋散尚啼鸦。
梦到故园多少路，酒醒南望隔天涯。月明千里照平沙。

只是辛苦了我们的大文豪，《浣溪沙》中表现的孤寂与辛苦只是那长途旅行中短暂的一瞬，那孤寂，肆意了黑夜的长长荒凉；那辛苦，斑驳了诗词的漫漫画卷。

其实在宋朝，京官最害怕的事，就是宦游——外放到地方上任职。当时流传着一个说法，有人去拜访某京官，看门的说大人今天不在。此人批评道："人死了才叫不在呢，你这下人真没规矩，应该说我家大人出外办事了。"看门的愁眉苦脸回答："我家主人宁死，也忌讳'出外'这两个字呀！"

当地方官就远离了权力中枢，仕途黯淡，人也辛苦。按宋朝规矩，所有地方官员，每隔两三年就要调动，带着家小跋涉到另一地去，古代交通不便，少数倒霉鬼不幸在任上或途中病死，连累一家老小都没办法还乡。更不走运的，被派去岭南等荒蛮区域，消息一至，举家号啕。"宦游"，听起来很美，但，只是听起来而已。

"宦游"作为宋代文学中重大题材，每个人写起来，都倾吐一堆苦水。尤以晚年进入官场的柳永为甚，他是走到哪儿就抱怨到哪儿，又想家又想情人。"一叶扁舟轻帆卷，暂泊楚江南岸"（《迷神引》），果然皇帝就不该给他官做，且去填词罢。王安石也是，"春风又绿江南岸，明月何时照我还"直抒胸臆，当然，苏轼也是。

苏轼的每一阕宋词都惹人心事，都散发着一股幽香，其实都是一次宦游辛苦之后的结果，那背后隐藏着多少不可说的艰辛，而在词中只能"瞒，瞒，瞒"。

谁会有苏轼宦游的久与远呢？选择在一个乍暖还寒的时节，在一个寂寞的黄昏上路。一阵突如其来的黄昏急雨不约而至，风卷起地上的尘土扑人脸面，雨点打在林中的叶子上啪啪作响。他开始一直被贬，无论新党旧党执政，他总是被打压的对象，那"莫须有"之罪带出来的乌台诗案险将其置于死地，历典八州，天南地北，辗转反复，东迁西徙，从不停歇。身

天舒
2016.11.18.

行万里半天下，他却道“也无风雨也无晴”。

莫听穿林打叶声，何妨吟啸且徐行。竹杖芒鞋轻胜马，谁怕？一蓑烟雨任平生。

料峭春风吹酒醒，微冷，山头斜照却相迎。回首向来萧瑟处，归去，也无风雨也无晴。

那个下雨的山路上，一群匆匆忙忙的行人都在狼狈不堪地避着雨，而苏轼拄着一根竹杖，穿着他的芒鞋，气定神闲地缓步走着，雨点密密地打在他高大的身躯之上，他却似浑然不觉。他那信步行，旷达超脱绝配了这首《定风波》。

大江东去，浪淘尽，千古风流人物。故垒西边，人道是，三国周郎赤壁。乱石穿空，惊涛拍岸，卷起千堆雪。江山如画，一时多少豪杰。

遥想公瑾当年，小乔初嫁了，雄姿英发。羽扇纶巾，谈笑间，樯橹灰飞烟灭。故国神游，多情应笑我，早生华发。人生如梦，一尊还酹江月。

这首《念奴娇·赤壁怀古》，是苏轼贬在黄州所作，把素来宋词的儿女情之意，扩展到广漠的大千世界。站在凌云山巅，阵阵劲风吹起他的长衫，他双手按住眉骨远远望去，只见铜河、府河、雅河三条河从遥远的雪山一路奔来，汇聚在古嘉州东岸的凌云山下，何其壮观。长江波涛滚滚，曾经的历代英雄人物不都在这水中远逝了吗？岁月如梭般的走了，满头的黑发渐渐变成了花白，自己难道空有报国之志吗？人生就像做梦一般，我还是倒一杯酒来祭奠这历史上的英雄们与这江上的明月吧！

无数南方的夜晚，让所有的人都迷醉，苏轼在月辉下沿河行走，诞生出多少杰作：二百七十余首诗，三十多首词，八十多通书信，冠盖天下古今，再无出其右者。如此，苏轼成为中国的一处百草园，成为中国的一处精神的家园。我们吟诵他那些炽热、真挚、执着的诗词，我们品味他那穿越浩渺时空的情感表达，我们……

这是一次不舍的旅行，在他那独有的清浅时光，追溯到他宦游的意义。

水面清圆，一一风荷举

风老莺雏，雨肥梅子，午阴嘉树清圆。地卑山近，衣润费炉烟。人静乌鸢自乐，小桥外、新绿溅溅。凭栏久，黄芦苦竹，拟泛九江船。

年年。如社燕，飘流瀚海，来寄修椽。且莫思身外，长近尊前。憔悴江南倦客，不堪听、急管繁弦。歌筵畔，先安簟枕，容我醉时眠。

周邦彦的《满庭芳·夏景》写得生动优美，风使春季的莺雏长成，夏雨让梅子变得肥美，正午茂密的经树洒下圆形的阴凉笼罩的地面。夏天在他眼里，既美丽又沉静。坎坷的心，眼里有夏天美景，心却依然要寻找清悠之处。心灵的疲惫，也许需要静谧的空间来安置。

读周邦彦之词，内心如此舒服，如此的美丽词汇，仿佛是月下起舞的精灵一般，可是如他这样的词竟然很少有人谈起过。

周邦彦，北宋末年词人，集婉约派大成的人物，可以这样说，周邦彦将婉约派的词风发挥到了最高的境界，尘世如烟，转瞬千年，当远山已残，水色阑珊时，在人们的眼中，他并不如一个豪放派的辛弃疾闻名于世，这是为何？

也许这就因社会而定，北宋的过度繁华造就了周邦彦思乡、离别，华丽的词风，但随之而来惨烈的战争，破碎的山河又造就了辛弃疾、陆游之类的忧国忧民、大气磅礴的词风。

战争，那就造就了大义是主流基调。站在词人们曾经生活过的汴京城，遥望烟雨蒙蒙的江南，似乎看见了，周邦彦辛酸的泪水，在穿越历史的岁月中，无声无息地滑落。

不过，在当时，周邦彦可是大受欢迎的词人，那美丽富饶、文化发达的浙江省，曾经是宋词赖以繁荣的重要人才基地。宋代词人有籍贯可考者约七百三十多人，其中浙江籍的竟有二百人之多。周邦彦，无疑是这个庞大的浙江作家群中最为一枝独秀的人物。

粉墙低，梅花照眼，依然旧风味。露痕轻缀，疑净洗铅华，无限佳丽。去年胜赏曾孤倚，冰盘同燕喜。更可惜，雪中高树，香篝熏素被。

今年对花最匆匆，相逢似有恨，依依愁悴。吟望久，青苔上，旋看飞坠。相将见、脆丸荐酒，人正在、空江烟浪里。但梦想、一枝潇洒，黄昏斜照水。

这首《花犯·咏梅》读来颇有点电影味道，过去、现在、未来的景象相交错，技法多变却又前后照应，结构严密而又委婉曲折，写出了对梅花的相惜，结句更是如画可玩，你能嗅到一丝北宋末年的气息吗？

与北宋那些层出不穷的神童不同，周邦彦少年时个性比较疏散，但相当喜欢读书。宋神宗时，他写了一篇《汴都赋》，赞扬新法，从中就可看出他精通音律，格调精工。而后来艳情与羁愁词几乎占据了他诗词生活的全部，这些既流露了他自己的生活情趣，也迎合了那个腐朽王朝里纵情声色的士大夫们的胃口。他喜欢用代词，如用“凉蟾”代月，“凉吹”代风，“翠葆”代竹等。喜欢运用古辞赋家的手法来练字琢句，如“梅风地溽，虹雨苔滋”“稚柳苏晴，故溪歇雨”等。喜欢融化前人诗句入词，如“一夕东风，海棠花谢，楼上卷帘看”，用韩屋《懒起》诗，“凭阑久，黄芦苦竹，拟泛九江船”，用白居易《琵琶行》。他还善于通过种种回忆、想象、联想等手法，前后左右、回环吞吐地描摹他所要表达的东西。这些手法本是魏晋以来“为文造情”的辞赋家的长技，周邦彦用来写慢词，把那些艳情内容妆饰得更为华美。千百年后我们读这些词句，还依然为他的精巧曲致赞叹，那是他一个个小心翼翼营造出来的象牙雕塑，华丽地展示在我们的面前，让人不忍触碰，王国维先生在《人间词话》说：“美成（周邦彦字）深远之致，不及欧、秦，唯言情体物，穷极工巧，故不失为第一流之作者。”说其内容平平，由于内容的单薄与无聊，周邦彦也就只能在艺术技巧上争胜，把那些艳情内容装饰得更加华美。

“水面清圆，一一风荷举”，周邦彦的这一名句形象地说明了他自己的词风——疏荷小立的一种“清圆”意味。然而，他身处的时期，是北宋晚期，国力衰弱，内忧外困，在上者昏庸，在下者抗争，在外者犯境。周邦彦死前一年，方腊起义；死后六年，宋徽宗被俘，北宋沦亡。可以说，曾长期担任要员的周邦彦是国家衰亡的见证者，但本应十分敏感的词人却于末世沉浸在“清圆”的自在悠闲中。

这实与当时的士风有关。北宋晚期整个社会虽然陷入危机，但表面上空前繁荣，吃唱玩乐，花样百出。士大夫已对社会失去信心，对前途感到渺茫，所以纵情声色，花天酒地。

周邦彦早年曾经有过和柳永类似的生活经历，风流倜傥。那时候，在北宋首都的东京，妓馆则如同市民日常生活必需的茶馆一样，遍地皆是，触目皆有。门前，仆马繁多，大夫来游；里屋内，豪少不绝，金钗倒溜。周邦彦就在这软玉温香之中，用他那上乘的辞藻、最佳的情思，根据自己亲身的经历，调动一切艺术美化的手段，创造他的艳词国度，未能从现实纷繁中脱身而出，站在一个高远的境地去观察世事，去沉思、去把握这时代的嬗变与苍凉。经过了破落而言说悲哀的李煜，令人一掬同情之泪。而在面临末世还能赋歌艳词的周邦彦，也许会让人不齿，但也有人为他开脱，也许是忧困的力量太大了，压得他只能逃避现实，从而使人为之嗟叹。也许他也想如辛弃疾一样，为国奔走、呼喊。

但这都是也许，也许诗词的创作本没有对错，就如爱情，有人甜蜜，有人伤心，有人因此患上失语症，也有人失去了自我，可是从没有人后悔过。于是，在宋朝城市经济的高度繁荣拉动的勾栏苑的兴盛下，周邦彦的艳词天马驰骋，于是今天，我们才可以有所品读，才可以感受这穿越千年不变的宋代风味。

秋之章

秋月寒江

鱼潜江底，雁啾南飞；月朦胧而吐辉，露晶莹而含色。宋词的秋季，既有萧瑟，也有淡雅。这是一场唯美的体验，需要用真情去体会，更是一场寻找自我的旅程。愿你的心远离车马喧哗，做一尾潜泳的鱼，安静地游弋在宋词的江流中。

缓歌低笑，醉向花间倒

秋日的开封，满城花开无数，暗香浮动，那是菊花的香气，时常会看到有人头簪菊花而过，那也许是皇帝的恩赐，以至于时过境迁之后，还有词人静静回味。

去年今日，从驾游西苑。彩仗压金波，看水戏、鱼龙曼衍。宝津南殿，宴坐近天颜，金杯酒，君王劝。头上宫花颤。

这是词人陈济翁的《蓦山溪》上阕，“颤”字传神，它表面上写菊花之动态，实际上写的是簪花人摇头晃脑的得意忘形。一般的新进士不但在宫中吃酒时“颤”，筵后还要让头上的花“颤”着回家，以显示自己的殊荣，让所有的路人分享得意。

在宋代确实如此，有皇帝出席的场合，皇帝通常会赐花给臣子们佩戴，那真是莫大的荣幸。

翰林学士王珪也记叙过自己的殊荣，有一次在翰林院值夜班，皇上召见，叙谈后十分赏识他的贤才，当时正值中秋夜，皇上就命令宫妃们各取头上的簪花一朵，插在王珪的头上，搞得王珪的脑袋像插满了冰糖葫芦的草招子。但是他内心深处的幸福是满满的。

更有盛大的簪花场面，那就是皇帝驾出拜祖，对随行人员幕士、禁卫、官兵以及乘五百余轿的皇后、贵妃、淑妃、美人、才人、婉容依品位赐花簪戴，以至于“乾天门道中，直南一望，便是铺锦乾坤。吴山坊口，北望全如花世界”（《西湖老人繁盛录》）。宋代簪花场面之盛可略窥一斑。

公众的场合，每人头顶一朵花，这样的风情雅致，估计也只有在宋代有了。

宋人簪的都是什么花呢？一种是“生花”，就是鲜花，春天多簪牡丹、芍药；夏天多簪石榴花、栀子花、茉莉花；秋天多簪菊花、秋葵等。宋人在这方面的记述很多。如五月五日临安城内人们皆戴茉莉花，欢度端午节。而九月九日重阳节，人们一般都“泛萸簪菊”，以求驱邪健身，长命百岁。以盛产牡丹的花都洛阳为例，一到春天，“城中无贵贱皆插花，虽负担者亦然”（《洛阳牡丹记》）。另外一种是宫花，就是以罗、绢、通草等原料制成的假花，由宫中或由坊间专为宫中制作，栩栩如生，几可乱真。

簪花这道风景的最动人之处，当然还是在美女头上，在她们梳妆打扮的琐碎过程中，簪花绝对是重要的一步，像今天新娘子嫁人时刻的妆容簪花一样，这是一种美好象征。

玉奁收起新妆了，鬓畔斜枝红袅袅。浅颦轻笑百般宜，试著春衫犹更好。

裁金簇翠天机巧，不称野人簪破帽。满头聊插片时狂，顿减十年尘土貌。

周邦彦的这首《玉楼春》说得很详细，妆成之后，在鬓边斜簪一支红花，顿时增色几许，再配上飘逸的衣裳，怎么不惹人心爱？

人如此爱好，当然都不是宋人的独爱，也不是他们的首创，但它却是人赋予了风雅的品质。学者扬之水研究认为，是宋人从这些本来属活的细节中提炼出高雅的情趣，并且因此为后世奠定了风雅的基

在宋代以前，人们赏花踏青多是官方举办，比如唐代举办的“扑蝶会”，朝廷布置盛大的展会，千万盆花草呈现在人们眼前，性质的庙会。到了宋朝，国家缺乏汉唐朝的励精图治精神，贪图爱，政府推送出来的成为一种新的生活方式，皇帝赏赐簪花不说爱花、插花更是日常化和大众化——对于栽花莳草，宋种躬身实践的热情，几丛植物花草，要亲自侍弄，闲情

寓舍中庭劣半弓，燕泥为为塘。
瑞香萱草一两本，葱叶蘼苗丛。
稚子落成小金谷，蜗牛卜筑别宫。
也思日涉随儿戏，一径惟看蚁得通。

宋人对花的赏爱，不再是狂欢式的热烈，而是把花事作为生活中每一天里的一点温暖，自己侍弄，而身边是儿童的顽皮戏耍，这一切相得益彰，形成一份美丽的点缀。南宋杨万里的《幼圃》写出了这份妙趣横生，生动有趣。

南宋诗人方回《开镜见瓶梅》中也说："开奁见明镜，聊以肃吾栉。旁有一瓶梅，横斜数枝入。真花在瓶中，镜中果何物。玩此不能已，悠然若有得。"这一情景在绘画中，正好有合适的对应——美国波士顿美术馆藏有一幅南宋画家苏汉臣的《妆靓仕女图》，图中描绘以为对镜理妆的女子，妆奁的旁边有一个小木架，木架里面坐一具插着鲜花的花筒。而由方回的诗可见，妆镜旁边陈设花瓶，在宋代不仅仅是女子的雅尚，士人也是把它视作一种逸趣的。截竹为筒，筒插鲜花，本来也是宋人花事中的雅趣之一。

所以，与唐代的万人空巷去看花观花不同，宋人大概更多的时候是买了花来插瓶，心情大好时候簪花于头顶，标明自己的情趣。

这是让我们今人异常羡慕之处，重重的压力挤迫着我们的憧憬，纷扰的尘世侵吞了我们的日常。除了偶尔看到一些公园的花朵，其实我们现在人已与这种风雅愈来愈远。

宋代的卖花业也随着日常化而发展起来，一点都不必现在差。当时，各大城市中都设有花市。洛阳的天王园花园子、临安官巷的齐家、归家花朵铺都享有盛名。汴京、临安的夜市上也卖"五梅花、茉莉盆儿、带朵茉莉朵花、桃纱荷花"等各色花。除固定的摊铺，许多小贩还沿街叫卖四时花朵，苏东坡《黄州春日杂书四绝》之一就称："病腹难堪七椀茶，晓窗睡起日西斜。贫无隙地栽桃李，日日门前看卖花。"陆游的名作《临安春雨初霁》更能说明问题：

世味年来薄似纱，谁令骑马客京华。

小楼一夜听春雨，深巷明朝卖杏花。

矮纸斜行闲作草，晴窗细乳戏分茶。

素衣莫起风尘叹，犹及清明可到家。

“小楼一夜听春雨，深巷明朝卖杏花”，成为描绘临安都市风情的名句，清晨时分就已经有卖花的叫卖，歌叫之声清奇可听，为一时之佳况。卖过巷东家、巷西家，帘外一声声叫，大约也最易牵动思念家乡的思绪，那家乡的花朵都开了吗？

浙江海宁人陈桀的一首《店翁送花》也很有意思：“店翁排日送春花，老去情怀感物华。翁欲殷勤留客住，客因花恼转思家。”旅店用日送鲜花的方式慰藉客中情怀，大约也已成为当时一种日常化的服务。

江南春尽离肠断，梦里江南花正好。国家情景如何，并不能阻挡人们爱好的热潮，不管怎样，从这些日常的生活中，我们看到宋人爱花草、爱无限的闲暇时光。他们的生活态度就有一番耐人回味。缓歌低笑，醉向花间倒。在花间醉倒，多么美丽的意象和意境啊，善感的读者也许心旌已经摇曳起来……

田园，你心中最美的期盼

你有多久没在田园中行走？在微微湿润的空气里，弥漫着让人神清气爽的花香，当你走在花的海洋中时，你一定会陶醉在那花丛之中。色彩明丽，五彩缤纷，红的、黄的、蓝的、紫的花朵随处可见，那些满是高过脚踝的野花，你一伸手就可以摸到，那么多！那么密！那么辽阔！

黄四娘家花满蹊，千朵万朵压枝低。
留连戏蝶时时舞，自在娇莺恰恰啼。

颠沛流离多年后，我们的大诗人杜甫终于有了自己的房子，成都浣花溪畔，一座草堂作为安身之地。春暖花开的时候，他的心情也变得异常轻快，来到江畔散步、赏花，并写下了这首著名的诗篇《江畔独步寻花》。

在诗词中行走，我们会发现，诗圣杜甫的大部分诗歌都凝结着浓重的哀愁，所以后世常觉得他“苦大仇深”。倒是这首小诗，笔调轻快流畅，一洗往日的愁怨，春天的喜悦也在字里行间不断迸发。黄四娘家的小路上开满了缤纷的花朵，千朵万朵的花把树枝压得很低。彩蝶在花间飞舞流连忘返，自在的黄莺在娇嫩地啼叫。在这条乡村的小路上，春天的意境便尽情地舒展，繁花似锦，莺啼蝶舞，美不胜收的有景色，也有愉快的心情。

这是诗圣少有的美好时刻，就发生在田园之中，而在宋代，诗人们少有的欢乐时刻，恐怕也是在田园度过的。

茅檐低小，溪上青青草。醉里吴音相媚好，白发谁家翁媪。

大儿锄豆溪东，中儿正织鸡笼，最喜小儿无赖，溪头卧剥莲蓬。

和杜甫如此相似，屋矮檐低的茅草房，门前有一道溪流，房前房后总是挂着一瓜架，或许种丝瓜，或许种南瓜，它们攀上棚架，衬着绿绿的叶，构成一道别有风趣的装饰。辛弃疾的《清平乐·村居》也是真正的村居生活，大儿子在河东的豆田里锄草，二儿子正在编织鸡笼子，连最小的儿子也卧在溪头剥莲蓬。田园不仅风景美，住在那里的人们，生活也非常快乐。

当然，还有另外一个人也表达同样美丽的期盼，田园游赏的欢快，那种由此而生的闲适心境，无与伦比。

林断山明竹隐墙，乱蝉衰草小池塘。翻空白鸟时时见，照水红蕖细细香。

村舍外，古城旁。杖藜徐步转斜阳。殷勤昨夜三更雨，又得浮生一日凉。

远处郁郁葱葱的树林尽头，有高山耸入云端，清晰可见。近处，丛生的翠竹，像绿色的屏障，围护一所墙院周围。这所墙院，正是词人的村舍。靠近院落，有一个池塘，有荷花，有蝉声，有翻飞的白鸟，意境如此清新淡雅，组成一幅相映成趣的美丽图卷。当你身在其中，你一定心生光彩。

这就是苏轼的闲居生活，在这首《鹧鸪天》中，最后一句，是画龙点睛之笔。在这田园中，他又度过了凉爽的一天。“浮生”二字，化用《庄子·刻意》“其生若浮，其死若休”句意，盎然喜情达到顶峰。

的确，还有什么有比此时此刻更舒适的时刻，作为农耕文明的代表，中国人似乎天生就和土地有着一种亲近。不说宋代文人失意时分的田园隐居，只说现在我们很多生活在都市里的人，也都喜欢在虚拟的空间经营自己的菜园，房前种一片香草、花果；屋后养几头牛羊，鸡窝里还要买几只下蛋的芦花鸡。也许是因为现代社会里人被高高地悬在城市的高空，找不到脚踏实地的感觉。可能正是因为这份虚空，所以才有更多的人迷恋网络，钟情于在虚拟的时空构建自己的“桃花源”，期冀带来一点精神上的抚慰。

而生活在拥挤的街区里，人们的确是需要心灵的释放，一些田园乐趣的调试。所以，很多人都喜欢在放假的时候去郊外度假，既能在自然中放下平日的烦恼，也能在久违的乡村生活中寻得别样的经历和体会。这也许是“农家院”“农家菜”日益昌盛的一个重要原因。

尽管不比诗词中的那么美好，但也田园生活带来的却是欢喜，在夕阳晚照时映红的村落里，在放牧归来的牛羊走进的小巷中。老人惦念着放牧的孩子，拄着拐杖，倚着门扉，等着他们回来。野鸡在鸣叫，吃饱

天舒
2017.8.6.

了桑叶的蚕也开始渐渐休眠，荷锄归来的农夫们彼此寒暄，悠悠地聊着家常。一切都被夕阳镀上了金色。也在这醉人的金色中，体会到一种闲适与安详。

于古于今，这样安详的田园生活，内心得到释放，似乎都是人们最美的期盼。

撷株秋叶，山高水长

我很崇拜一个宋朝人。虽然他没有被人编成故事和搬上舞台加以称颂，但历来他得到的评价最高，当朝的欧阳修说他“一以自信，不择利害为舍取”，堪为中国士大夫的楷模；南宋人说，“本朝人物以他为第一”，宋儒气象由他以身作则首开，宋代以后的人认为“宋亡，而他不亡”，赞颂他“云山苍苍，江水泱泱，先生之风，山高水长”。

他是范仲淹。

范先生真是入得书房，上得战场，一代儒将，身悬长剑，屯兵西北，抵抗西夏，那几年里，他亲身体验到了环境的恶劣、战事的艰苦、士兵的惆怅和国家的飘摇，写下了四首以“塞下秋来风景异”开头的词作，《渔家傲》是流传下来的唯一一首，一扫花间派柔靡无骨的词风，开宋词豪放之派门户，也是一代大将军之胸襟坦荡。

塞下秋来风景异，衡阳雁去无留意。四面边声连角起。千嶂里，长烟落日孤城闭。

浊酒一杯家万里，燕然未勒归无计。羌管悠悠霜满地。人不寐，将军白发征夫泪。

翻开千年前北宋戍边的画卷，塞外秋风萧瑟，寒风凛冽，南归的大雁已无一点留恋，荒凉的边塞带着令人心悸的战马嘶鸣，混合着异域特有的少数民族的笳声、歌声、风沙声，更有连连的号角，时时召唤军中战士跃向杀敌的疆场。偏又是在秋意溶溶的月圆之时，长期征战的将士背对孤烟落日的营盘，杯杯浊酒遥寄家乡，情诉冷月，强敌未灭，何以归家。这样的情感，其实在各个时期都曾得见，男儿大丈夫，虽是一腔柔情，却也有踏破贺兰山阙，不破胡虏誓不还家的志向……

范仲淹借秋意抒发自己的情感，不仅有这苍凉含悲的豪放气质，也有柔情清丽的一面。

碧云天，黄叶地，秋色连波，波上寒烟翠。山映斜阳天接水，芳草无情，更在斜阳外。

黯乡魂，追旅思。夜夜除非，好梦留人睡。明月楼高休独倚，酒入愁肠，化作相思泪。

追寻范仲淹的成长历程，我们看到他襁褓丧父，因为家里贫穷，母亲不得不带着他另嫁到一个姓朱的人家。但他少小勤奋，志存高远，怀抱济苍生拯民难的雄心，以天下为己任。有时候，读书到深更半夜，实在倦得张不开眼，就用冷水泼在脸上，等倦意消失了，继续攻读。这样苦读了五六年，在二十六岁那年中进士，为人忠直，极言敢谏，在其后十余年间，竟两次被贬外地，倍受煎熬。他既体察民间疾苦，也深深体会着人在他乡、背井离乡的愁思。《苏幕遮》这首清丽优美深情的词，大概就是范仲淹在历经患难的心境下写出的吧。

词人笔下的秋色是那种淡淡的、轻烟一样的愁美，柔肠百结倾于秋的画卷。碧蓝的天空浸染了飘浮的薄云，纷纷洒洒的树叶落在地上，铺了秋黄的一片，天地间浓浓的秋意与江流湖泊的水波相衔，更有袅袅的炊烟飘散在黄昏时翠绿的水波间，倒使人觉着一丝清冷。这时的诗人，眺望着湖岸那山上映着的夕阳余晖，还有望不着边的远水草地，忽然内心的乡思是那般的强烈，不觉吟出“芳草无情，更在斜阳外”的感慨，斜阳是那般的清晰温暖，而模糊如烟波的芳草地怎么也望不到边，正如自己的故乡一般，是那样的遥远不可企及！他的心怎么不悲伤黯然，夜夜盼着有归家的好梦相陪，否则只能独倚月楼，以酒为伴，借酒解愁愁更愁，化作相思泪流了。

范仲淹不仅写诗词，也写很有政治品位、为后世称道的散文，他既是文学家，也是政治家。为政期间，他力主改革，一心扫除弊政。仁宗庆历三年（公元143年），他守疆有功，回朝任参知政事，面对宋仁宗的期待，为改变国家内忧外患、危机重重的艰难困境，他毅然向宋仁宗呈上了著名的新政纲领《答手诏条陈十事》，提出了改革政治的十项主张，这就是后人所称的“庆历新政”。在宋仁宗的支持下，范仲淹终于有机会施展自己的政治抱负，可惜他与如欧阳修一般的朋友良臣，未能处理好改革与稳定的关系，终于倒在了旧势力的暗箭之下，历时不到一年半的改革新政，失去了皇帝的信任与支持，范仲淹被迫离开朝廷，被罢副相之位，新政失败，未能在历史上做出更为显著的成绩，内心一定是苍凉如秋的。

范仲淹情思深邃，或细腻或悲怆，不经意地查看，发现都借秋色作为衬托，名篇《岳阳楼记》也是落笔于宋仁宗庆历六年（公元1046年）九月十五日，范仲淹的诗词与秋结缘，那别样的秋思乡愁，塞下秋风，秋日怀旧，那胸中波涛万丈的豪情在秋日挥洒，令人一时感慨不已。

> 至若春和景明，波澜不惊，上下天光，一碧万顷。沙鸥翔集，锦鳞游泳，岸芷汀兰，郁郁青青。而或长烟一空，皓月千里，浮光跃金，静影沉璧。渔歌互答，此乐何极！登斯楼也，则有心旷神怡，宠辱偕忘，把酒临风，其喜洋洋者矣。

范仲淹早年曾到过洞庭湖，那时随继父在澧州安乡（今常德安乡县）读书，感叹岳阳景色实在妙然，而最妙的就是那一望无际的洞庭湖水。远衔青山，近吞长江，朝辉夕雾，气象变化无端。一别经年，如今再次回想起来却已是另外一番滋味了。

如今他在邓州做知州，昔日好友滕宗谅派人送来一幅岳阳楼图，告诉说他已将该楼重新修葺，并将历代有关的赞扬诗赋，也刻石附立，希望他为重修后的岳阳楼作记。范仲淹手执岳阳楼图一览，夹杂着当年与滕子京同中进士的那种欢欣，舒心畅快之际，想起二人曾共同参与修复泰州海堰工程的情景，想起在西北前线二人一同领兵抗击西夏侵略的往事，想起两人一同被贬的现状，一时百感交集，遂转身进屋，铺纸提笔……

岳阳楼自范仲淹笔下生辉，一座名楼由此崛起。要知道，庆历六年（公元1046年）的范仲淹，已是五十七八岁的老人了。“庆历新政”改革失败，被逐出京都。若是一般人，此时肯定是牢骚满腹，得过且过，喝喝闷酒，骂骂娘，抑或是像某些做官的，沉在温柔乡里作罢，再不会去努力做什么了。但范仲淹不这样，他上任伊始，就四处察访民间疾苦，了解百姓之忧。

这就是仁人志士与俗子的不同之处，在于他们的情感不轻易随景而迁。升官发财之日，他们不会得意忘形；遭厄受穷之时，他们也不致愁眉不展。假若身居高职，他们能为民解忧；一旦流离江湖，他们还惦着替君主分愁。这就是在位也忧，离职也忧。

这就是他最让人崇拜之处，一个有远大政治抱负的人，他的思想感情应该是“先天下之忧而忧，后天下之乐而乐”。《岳阳楼记》中这百感交集的一句格言不胫而走，风似的传诵开来。

你听到过吧？

诗情皇帝，多少年华可以挥霍

我们在宋词里散步，会发现历史历史像一个螺旋，每隔一定时期便会出现一段惊人相似的篇章。南唐国灭149年后，同一幕历史剧再次上演，这一次，艺术家皇帝换成了“才到天中万国明”的赵匡胤后代——宋徽宗赵佶。

说起这位皇帝，相比于述说那个没落时代的感慨，我更愿意看看这位高高在上的男人坠落后的心境。只是平民如我等都没有这样的经历，无法去体验他那种高空垂直而下的感受，也许，这种感受只有徽宗自己才能有。

很多情愫，真的只能是冷暖自知。

裁剪冰绡，轻叠数重，淡著燕脂匀注。新样靓妆，艳溢香融，羞杀蕊珠宫女。易得凋零，更多少、无情风雨。愁苦，问院落凄凉，几番春暮？

凭寄离恨重重，这双燕何曾，会人言语？天遥地远，万水千山，知他故宫何处？怎不思量？除梦里、有时曾去。无据，和梦也新来不做。

在这首《宴山亭·北行见杏花》中，徽宗依然文艺，他说杏花是用洁白透明的素丝裁剪。花瓣，也如同淡妆的仙女。可是那娇艳的花朵最容易凋落飘零，又有那么多凄风苦雨，无意也无情。道出徽宗在此情景下的愁苦百倍，花开之后的不久，院落中肯定只剩下一片凄清。

我被拘押着北行，任谁来领会这离恨重重？这双燕子，又怎能理解人的心情？已走过了万水千山，又哪里知道故宫此时的情形？沉心思量，却只在梦里才能相逢。可又不知何故，近来竟连梦也没有。

亡国之时的情景，你还记得吗？在所有人的记忆里，当时故宫一片狼藉萧条，抢、砸、死、伤、逃、嚎叫。这段历史堪称北宋的最大耻辱，历来被后人的唾沫淹没。

这情景比当年先祖赵匡胤军队入南唐有过之而无不及。同为文人皇帝，你和李煜有多少相似之处？

的确，赵佶与李煜也颇有些渊源。在民间传说中，宋神宗曾去观赏南唐后主的画像，见李煜清俊儒雅，再三感叹。不久，儿子赵佶出生了。又传说孩子出生时，神宗梦到李后主前来拜访，故诗词书画之才，徽宗与后主并驾齐驱。

赵佶天资聪慧，醉心于书法和绘画，十六七岁已经闻名一国。如果按着正常的路线，花前月下，琴棋书画，估计他就算是不因此而永垂不朽，至少也能换个流芳百世。

但历史的拐点常常出乎意料。“天教心愿与身违”，哥哥哲宗驾崩后因没有子嗣，只好在兄弟中间选择，才华横溢的赵佶被选中。

后世对徽宗的评价不堪，《水浒传》中这样描述徽宗："这浮浪子弟门风帮闲之事，无一般不晓，无一般不会，更无一般不爱；即如琴棋书画，无所不通，踢球打弹，品竹调丝，吹弹歌舞，自不必说。"也只能在艺术上赢得加分。书法变法度独创流传至今的"瘦金体"，作画上有传世珍品《腊梅山禽图》《杏花鹦鹉图》《芙蓉锦鸡图》《听琴图》《文会图》《雪江归棹图》，项项都是满分，《清明上河图》的成画也是徽宗选拔的结果。

他的精致细腻也是无与伦比。据说，一次宣和殿前的荔枝结果了，孔雀在树下啄食落下的荔枝。赵佶一看心血来潮，命画师们画一幅荔枝孔雀图给他评赏。他看完画师的作品后不满地说："你们虽画得不错，可惜都画错了，孔雀上土堆，往往是先举左脚，而你们却画成了先抬右脚。"起初画师们不信，反复观察后，果如赵佶所言。

才气与李煜比肩，治国理朝之"能"，二人更是不分伯仲。

赵佶正值壮年，也疏于政事，每天最用功的功课不是朝政，而是在大殿写字习画。负责拟旨的梁师成瞅着了机会，竟敢在挑选官吏时常模仿其手迹，外迁官吏几乎莫辨真假。一批执政、侍从以此手段擢升，赵佶知道却不予惩处，还夸他模仿得像。

赵佶的人生，是在芙蓉书画、靡靡辞藻中度过的，看不到此时国家的外患内忧，只有眼前的花花美景汴梁城。经过他二十多年的腐败朝政，北宋已经走进了死胡同。宋徽宗期间生产出一大批名气十足的奸臣，如蔡京、童贯、高俅、杨戬、朱勔、王黼、蔡攸、梁师成等，他们独揽大全，只手遮天，像一片滚滚浓云压得大宋喘不过气来。

你有多少年华可以挥霍？你有多少光阴可以虚度？当北方的游牧铁骑纷沓而来，攻城抢劫，赵佶的政府机关则好像是七拼八凑走江湖的杂耍戏团，只求今天的演出能够糊口，便心满意足。在这种情形下，没有人想到百年大计和长远谋略。他也就匆忙写了“传位于皇太子”几字，把一个烂摊子撂了出去，带着蔡京、童贯等人，借口烧香仓皇逃往安徽亳州蒙城。

日薄西山的国家，在一个玩物丧志的皇帝手下，结局可想而知。

徽宗当了太上皇，他的儿子钦宗只做了两年的皇帝，两人一大家便被金人掳走，连同在开封的宗室、后妃、百官、工匠等三千多人俘虏北归，北宋覆灭，史称“靖康之难”。徽宗比李煜似乎还要惨淡，妻女惨遭金人蹂躏，不得善终。

彻夜西风撼破扉，萧条孤馆一灯微。
家山回首三千里，望断天南无雁飞。
九叶鸿基一旦休，猖狂不听直臣谋。
甘心万里为降虏，故国悲凉玉殿秋。

这首《在北题壁》是徽宗的最后一首诗词，几番凄风苦雨，与李煜的最后一首词“雕栏玉砌应犹在，只是朱颜改。问君能有多少愁？恰似一江春水向东流”何其相似。住在整夜吹着西风的破屋里，彻夜难眠。孤身一人面对同样孤独微弱的小灯，回首几千里之外的故都，就连一只大雁也看不到。然而，虽然如今身处尘沙漫天的荒漠，现在那繁花似锦的汴京倒是仍然经常萦绕在梦中。

这首诗写得没有李煜的《虞美人》好，不过表达的意思和他是一样的。问君能有多少愁？我要怎么诉说这种愁苦？理想与现实总是相违。同为才子佳人，独不能为君也。满腹才气化作江山美景的纸上沉淀，至于江山本身何在，对他俩来说，也许不如一支笔、一首诗来得重要。

公元1127年7月，徽宗要派臣子曹勋从金国偷偷逃回南宋，带着自己的背心，上书“你（宋高宗）快来援救父母”，并哭着叮咛曹勋，切记要转告到“我北行的痛苦至极”的意思。这些都是无用的，儿子这时候正忙着呢，忙着愿意放弃帝位，向金朝称臣。宋徽宗终因不堪精神折磨而客死异乡。

在时间的长河中，每个人都在匆匆赶路，徽宗带着他的王朝和曾经的繁华岁月，走过。

听一场雨，观照一次人生

在“宋末四大词家”周密、王沂孙、张炎和蒋捷四人之中，蒋捷的名气最大，也捕获了最多人的心思。比如这首《一剪梅》：

一片春愁待酒浇。江上舟摇，楼上帘招。秋娘渡与泰娘桥。风又飘飘，雨又萧萧。

何日归家洗客袍？银字笙调，心字香烧。流光容易把人抛。红了樱桃，绿了芭蕉。

这是他乘舟路过吴江时，一路风雨萧瑟，乡愁日渐深浓，油然而生的人生浩叹。而“红了樱桃，绿了芭蕉”之句，节奏明快，色彩艳丽，更是加重了“光阴易流逝，豆蔻弹指老”之感。

关于蒋捷的生卒和事迹，正史和野史都很少记载。从残碎、零星的资料中，我们大体得知，他生于南宋末年，与皇室沾亲带故，少年时享尽荣华富贵，宋度宗咸淳十年（公元1274年）中了进士。但还没来得及任职，元兵就攻破了临安，南宋灭亡，蒋捷只得辗转异乡，饱经忧患，隐居不仕。

源于亡国之因，他的大多数词就是一种怅逝的感叹，一种对比式的感叹。

人在不同年龄、不同心情下，对事件的认识不一样。早他几年的词人辛弃疾曾经由登楼得到，他在《丑奴儿》中说：

> 少年不识愁滋味，爱上层楼。爱上层楼，为赋新词强说愁。
>
> 而今识尽愁滋味，欲说还休。欲说还休，却道天凉好个秋。

对蒋捷来说，这种“英雄所见略同”的怅逝，则是从听雨中感受而来的。在《虞美人·听雨》中，他寄生在僧庐里，回顾“红烛罗帐”的少年、“客舟断雁”的中年和“鬓已星星”的老年时期，抒写不同的听雨感觉，那种无处宣泄的身世家国之感也随之呼啸而出。

> 少年听雨歌楼上，红烛昏罗帐。壮年听雨客舟中，江阔云低，断雁叫西风。
>
> 而今听雨僧庐下，鬓已星星也。悲欢离合总无情，一任阶前，点滴到天明。

少年如我，歌楼之上，红烛罗帐伴美人。一片春风骀荡的欢乐情怀，那时候的灯红酒绿、逐笑浮生，毕竟与忧愁悲苦无缘，这种青春风华的预留也许就是为了与如今的对比吧。所以，少年时代转眼成烟云，而我已步入壮年。可是，没有了少年时候的欢乐情怀，只剩下四周点缀的“江阔”

“云低”“断雁”“西风”这等凄凉景致，陪伴我在风雨飘摇中颠沛流离。

待到如今，鬓已星星也。国亡了，家安在？我的心，早已随着岁月一起风化了，有很多的情怀已逝，很多的心情不再，很多的人逝物非。所以，当词人颠沛流离、饱经忧患之后，尝尽了悲欢离合的滋味，历经了江山易主的变故，埋葬了许多少年的欢乐，也埋葬了壮年的愁和恨，“而今听雨僧庐下”一切皆空，万念俱灰，此时再听到点点滴滴的雨声，虽然，还是感到雨声无情，自己的心情却坦然起来，所以，“一任阶前，点滴到天明”。

原来一首《虞美人》，即是一个故事，即是一段人生。

听雨听出一段人生，作家琦君的散文《下雨天，真好》中说得很明白，她说：

我从来没有抱怨过雨天，雨下了十天半月，甚至一个月，屋子里挂满万国旗似的湿衣服，墙壁、地板都冒着湿气。我也不抱怨。我爱雨不是为了可以撑把伞兜雨，听伞背滴答的雨声，就只是为了欢喜那下不完雨的雨天。为什么，我说不明白，好像雨天总是把我带到另一个处所，离这纷纷扰扰的世界很远很远，在那儿，我又可以重享欢乐和童年，会到了亲人和朋友，游遍了梦牵魂萦的好地方。优游，自在。那些有趣的好时光呵，我要用雨珠的链子把它串起来，绕在手腕上……如果我一直不长大，就可以一直沉浸在雨的欢乐中。然而，谁能不长大呢？人事的变迁，尤使我于雨中俯仰徘徊。

琦君女士从童年到中年到老年，也是历经人生的风雨之后听雨，其实都不是在听雨，是在回忆起少年欢乐，对比如今苦难与失落，来观照一次人生，面对如今的一切，坦然承受，来对人生做一次最好的注释！

如蒋捷，也许他不是在听雨，而是在追思他这一生颠沛流离的生活；他也不是在写雨，而是描下他这凄风苦雨、动荡不安的一辈子，“悲欢离合总无情”，而自己要做的，做得到解脱一切荣辱而淡然自适。

说得极是，芸芸众生，可有几人可以做到这些？又有几人，愿意承受国破家亡、颠沛流离的悲痛经历呢？

时光最深处的白衣卿相

宋代词人写秋天里的别离，字字血泪，痛断肝肠。诉分离之痛，不愿节制，写到至尽至极。柳永的《雨霖铃》是其中最杰出的代表。

寒蝉凄切，对长亭晚，骤雨初歇。都门帐饮无绪，留恋处，兰舟催发。执手相看泪眼，竟无语凝噎。念去去，千里烟波，暮霭沉沉楚天阔。

多情自古伤离别，更那堪冷落清秋节！今宵酒醒何处？杨柳岸，晓风残月。此去经年，应是良辰好景虚设。便纵有千种风情，更与何人说？

话别就在江边，灯光隐约，暮色低垂，千里烟波，江心摇曳着月光。柳永有最细腻的心，他在用一连串镜头来感受秋天，酒、杨柳岸、晓风残月。但谁都阻止不了离别了，江山兰舟催发，更与何人说？柳永来不及离愁哭泣，只有交付给这无边无际的江上清风与皓月。

良辰好景，有清风，有皓月，宋代的风景确实好，经济繁盛，安乐度

天舒 2017.3

日，是在温柔乡里优游还是要去波云诡谲的官场挣扎，恐怕很多读书人都选择前者。所以出身官宦之家的柳永开始并不着急做官，直到三十岁才开始他的科考生涯。本来以为一到京华，就“定然魁甲登高第”（《长寿乐》），取功名如拾芥的。要知道，当时的柳永已是举国闻名，无论皇宫夜宴、妓馆歌舞，还是平民百姓的日常生活，处处都有“柳词”的痕迹。但命运似乎要和他开玩笑，柳永第一次考举居然不中！

柳永第一次失败之后，只是笑笑，相信自己总会有“仰天大笑出门去，我辈岂是蓬蒿人”的那一天。柳永的自信，体现在一首词《如鱼水》中：

> 浮名利，拟拚休。是非莫挂心头。富贵岂由人，时会高志须酬。莫闲愁。共绿蚁、红粉相尤。向绣幄，醉倚芳姿睡。算除此外何求。

落榜算什么呢？不就是没考中吗？功名利禄我唾手可得，不用天天挂在心上。我相信自己的才华如璀璨的宝石，如一柄清风宝剑，夜夜龙泉壁上鸣！暂时的失败而已，可我还是那个玉树临风、风流倜傥、英俊潇洒、才高八斗、貌似潘安、一朵梨花压海棠的柳大才子！可在五年之后，朝廷第二次开考，这次的柳永又名落孙山。那心情的不好受，自然是不在话下。于是柳永就纳闷了，紧锁双眉，像任何一个怀才不遇却自命不凡的文人一样发起牢骚，挥笔写了《鹤冲天》一首：

> 黄金榜上，偶失龙头望。明代暂遗贤，如何向。未遂风云

便，争不恣狂荡。何须论得丧？才子词人，自是白衣卿相。

烟花巷陌，依约丹青屏障。幸有意中人，堪寻访。且恁偎红翠，风流事、平生畅。青春都一饷。忍把浮名，换了浅斟低唱。

“黄金榜上，偶失龙头望”，考科举求功名，他并不满足于登进士第，而是把夺取殿试头名状元作为目标。落榜只认为“偶然”，“见遗”只说是“暂”，由此可见柳永狂傲自负的性格。他的抱怨还得出个结论：“青春都一饷。忍把浮名，换了浅斟低唱！”谓青春短暂，怎忍虚掷，为“浮名”而牺牲赏心乐事。所以，只要快乐就行，“浮名”算不了什么。《鹤冲天》也像柳永的其他词一样广为传唱，当然也传到了当朝皇帝宋仁宗的耳朵里，这让宋仁宗很不舒服，在柳永下一次中举御批时批了几字：“此人花前月下，好去浅斟低唱，何要浮名？且填词去。”皇帝的这道“圣旨”断了柳永做官的梦。

宋仁宗是一个务本向道的帝王，他的规范意识比较强，特别注重生活小节，有例子为证，大臣王拱辰给他的宠妃张贵妃进献了一个定州红瓷器，他发现后就追问到底，当得知是大臣王拱辰进献的，就大发雷霆，用木棒砸碎了瓷器。宋仁宗欣赏的是受世俗约束的儒雅之士，当然不喜欢想干什么就干什么的恣游狂荡、只图一时痛快的风流才子。这样，仁宗能让他领皇粮吗？

可是古代读书人都想获取功名利禄，通过科举，完成当官的第一跳板。当年的陶渊明、李白、王维等，无不是想通过这一关，实现士人的梦想。柳永也不例外，三次落榜之后依然准备考试，还想用自己的才华拍皇帝的马屁，以谋求官职。偏偏他时运不济，本来想拍皇帝的马屁，却偏偏拍在了马腿上。天上出现了老人星，柳永以此为祥瑞，作了一首《醉蓬莱》：

渐亭皋叶下，陇首云飞，素秋新霁。华阙中天，锁葱葱佳气。嫩菊黄深，拒霜红浅，近宝阶香砌。玉宇无尘，金茎有露，碧天如水。

正值升平，万几多暇，夜色澄鲜，漏声迢递。南极星中，有老人呈瑞。此际宸游，凤辇何处，度管弦清脆。太液波翻，披香帘卷，月明风细。

仁宗一看开头有“渐”字就不高兴，后来看到下面有“宸游凤辇何处”的语句，与仁宗为父亲宋真宗御制的挽词暗合，更感到不快；以下又看到“太液波翻”，便气着说：“为什么不说波澄呢?”是啊，柳永你为什么不说波澄说波翻呢？因把原词掷在地下，从此，柳永就再也不被进用了。

柳永此举实在是触霉头，其后果就是不再提拔柳永，柳永只能低声下气，上门拜访枢密使晏殊，看能不能求得官职。晏殊也是大才子，他问柳永：“喜欢写词吗?”柳永赶紧回答说：“自己同相爷一样，喜欢写词。”晏殊翻了白眼说：“我是喜欢写词，但从来不写靡靡之音啊。”柳永被呛了一肚子气，只好无功而返。

对潇潇暮雨洒江天，一番洗清秋。渐霜风凄紧，关河冷落，残照当楼。是处红衰翠减，苒苒物华休。唯有长江水，无语东流。

不忍登高临远，望故乡渺邈，归思难收。叹年来踪迹，何事苦淹留？想佳人妆楼颙望，误几回、天际识归舟。争知我，倚阑杆处，正恁凝愁！

柳永写下这一阕《八声甘州》词的时候，已经是一垂垂老者。可他依然不忘自己“白衣卿相”的精神贵族姿态，他尽管浪迹天涯，还是用词抒写怀才不遇的痛苦愤懑。“叹年来踪迹，何事苦淹留”，这两句向自己发问，流露出不得已而淹留他乡的凄苦之情，回顾自己落魄江湖、四处漂泊的经历。扪心问声究竟是为了什么原因。问中带恨，有问无答，因为诗人已经不愿说出来了。

读多了宋词你会明白，词人那么爱感叹，那么爱追忆，那么爱说今与昔，并不是因为过去美丽而现在落魄。

而是因为在时光最深处的红尘中，往事它无比真诚，又极尽哀怨，你不得不爱它，那是泪深如海的真实自己。

一代文豪，希望你能安静生活

时值金秋，于宋词里悠然漫步，也是一种浪漫。谁知不想，翻开宋词就遇见你，有宋最可一说的词人，“十年生死两茫茫，不思量，自难忘”。两人一生一死，隔绝十年无法相见，这是你对妻子的一片真情。“人生如梦，一尊还酹江月”，一杯酒献给江上的明月，你我共醉吧，这是你壮志未酬的念想。“草头秋露流珠滑，三五盈盈还二八”，秋露盈盈，晶润清亮却转瞬即逝，这是你对人生无常的喟叹。你，苏轼，你的才华，你的深情，你为我们留下的一词一句无不让后人为之感叹。

宋词，总是跳不开你。怎么能跳过去？

明月几时有？把酒问青天。不知天上宫阙，今夕是何年。我欲乘风归去，又恐琼楼玉宇，高处不胜寒。起舞弄清影，何似在人间。

转朱阁，低绮户，照无眠。不应有恨，何事长向别时圆？人有悲欢离合，月有阴晴圆缺，此事古难全。但愿人长久，千里共婵娟。

皓月当空，银辉遍地，这是关于秋天最著名的诗词《水调歌头》。在大自然的景物中，月亮是很有浪漫色彩的，很容易启发人们的艺术联想。“转朱阁，低绮户，照无眠”，月光懂人间情愁，穿过楼阁，低低徘徊于雕花窗棂，映照不眠人的脸庞，随之俯仰古今变迁，感慨宇宙流转，豪放洒脱谁人能及？

可当初并不是这样，谁都记得苏轼年少时候的明快烂漫，春风陌上惊微尘，游人初乐岁华新。《和子由踏青》中，他有着童子一样的心情。那时候家乡连绵不绝流淌的岷江，酣畅地翻滚嬉戏，拥着那艘载着父亲和自己兄弟二人的小船，从乐山脚下出发，汇入滚滚长江。

春风陌上惊微尘，游人初乐岁华新。
人闲正好路旁饮，麦短未怕游车轮。
城中居人厌城郭，喧阗晓出空四邻。
歌鼓惊山草木动，箪瓢散野乌鸢驯。
何人聚众称道人，遮道卖符色怒嗔。
宜蚕使汝茧如瓮，宜畜使汝羊如麇。
路人未必信此语，强为买服禳新春。
道人得钱径沽酒，醉倒自谓吾符神！

一路顺流直下，父子三人昂首挺胸负手立于船头，前往京城。三双眸子欣赏着沿途的秀丽景色，遇到古迹名胜，三人还上岸登临，指点江山评论古人，兴致来了父子对酌、高歌联句，连白发苍苍的老舟子都感叹道：

"这哪像是去赶考啊，就是来游山玩水了！"他怎么会知道，会试对他们来说只是件小事，哪里放在他们父子心里？他们的满腹经纶、治国大理早已铺展在祖国大地上，等待伯乐的赏识。

少年的豪迈溢于言表，可真风光无限，无论是达官贵人贩夫走卒，甚至歌女舞伎，谁不想亲眼看看蜀中三苏的庐山真面目呢？连文坛泰斗欧阳修见了苏轼的文章都在大庭广众之下击节叫好，连声大呼："老夫当避路，放他出一头地也。"

春风得意马蹄疾，一日看尽长安花。苏轼与弟弟苏辙同登进士，那花是美好的，那马是轻快的，因为在春风里吗？不全是，还是他们的心飘扬在春风里。欢欣鼓舞的苏轼此时怎会知道他随后的身世沉浮呢？他料到了自己绚烂的开头，却没有料到浮沉的结局。

夜饮东坡醒复醉，归来仿佛三更。家童鼻息已雷鸣。敲门都不应，倚杖听江声。

长恨此身非我有，何时忘却营营。夜阑风静縠纹平。小舟从此逝，江海寄余生。

入官场一直被贬，无论新党旧党执政，苏轼总是被打压的对象，那一年再因那著名的"乌台诗案"被贬谪到黄州。好在他没有被那些外在的迫害吓倒，还起了个号："东坡居士"，毅然表现出一种超人的旷达和通脱。

那是九月秋季的一个晚上，江面上风清月朗，一弯明月已冉冉地挂在天宇中，令人特别体会到了一种澄澈心神的快感。对此佳景，有人提议说：“今天遇见如此清光，人生中又能有幸遇上几回呢？苏学士这诗才原本就极为敏捷的，今晚可更不能没有好诗出来让我们欣赏欣赏呀！”

对此美景，苏东坡当即想到昨天晚上不是因外出饮酒却就被关在了门外吗？当时曾一再叫家僮起来开门还都叫不醒呢。事实上，这不就是人生中那别有风味的生活吗？他即席赋写了这一首《临江仙》词。

这一首，惊动了苏轼所有年月的华章，惊动了宋词所有精彩的篇章，也惊动了当朝的皇帝。说来可笑，因为居然有人给朝廷打小报告——苏东坡昨晚在江边驾船逃跑了！

郡守徐君猷听到这个信息，不觉也大吃了一惊。因为当时皇帝是特意把苏轼放在他这里管辖的，如果这“钦犯”从他这儿逃跑，那他这官也就别再想当了。被吓出了一身冷汗的徐君猷当即决定亲自去苏轼住处一趟看个究竟。但见大文豪此时还在梦乡中呼呼大睡呢，他所打的鼾声如同雷鸣一般。此时此刻，这事居然连神宗皇帝也都已知道，派出的快马探报也在路上了！

以为满心期待地做事，总会取得大的成绩，以为那些曾经梦想的渴望都会成真，以为登场就会掌声雷动，谁知我们并没有盖世神功我们也受人限制与猜忌。于是一往无前的努力每次换来的却都只是一身寥落。

罢了，朝廷寡恩，官场险诈。何不纵情诗酒，终了一生？就似《西江月》中说的一样：

世事一场大梦，人生几度新凉？夜来风叶已鸣廊。看取眉头鬓上。

酒贱常愁客少，月明多被云妨。中秋谁与共孤光。把盏凄然北望。

偏偏，我们的大文豪又不肯消沉。无论身在何处，时时以家国为念。对内，刷新吏治，发展生产，关注民生。于是，徐州时身先士卒，率众抗洪；杭州时，疏浚西湖，留下闻名遐迩的苏堤，当然，也留下了“东坡肉”；莱州、登州，上奏请求减免赋税；定州时赈济灾民；有他的引领才有了黄州的“自来水”；有了密州时和百姓一起挖野菜充饥对抗饥荒……一声棋子落定，看庭前花开花落；两三知己携手，望天上云卷云舒。前几十年历经风风雨雨的世事沧桑后，仍能怀着一腔赤诚地去面对并不如意的现实，舍苏轼其谁？

后几十年，苏轼在哪里？还会不会继续遭受打击？会是如何度过的？

一千顷，都镜净，倒碧峰。忽然浪起，掀舞一叶白头翁。堪笑兰台公子，未解庄生天籁，刚道有雌雄。一点浩然气，千里快哉风。

这位驾着一叶小舟、在狂风巨浪中掀舞的白发渔翁正是苏轼的自喻，面对政治上的风波，相信只要坚持一点浩然的刚直正气，便可享受无穷的千里雄风。当种种不幸袭来之时，他更以一种旷达的宏观心理来对待，那么，古今多少事，应该都付笑谈中吧。

所以，今天我们手捧宋词，翻开中国古典诗词的画卷，在一梦千年的情节里，才可以看到一个风姿绰约的苏轼，词绝天下的苏东坡。所有的红尘往事，所有的朝廷兴衰，都要湮灭在烟波浩渺的历史长河，而他的词句却都凝聚着他一生的剪影，一世的豪迈，成为永恒……

今天我以我心的纬度，走过千年寂寞的岁月，再次仰视苏东坡那笑谈古今的背影，倾听他渐行渐远的跫音，竟成为我再也挥之不去的意念。而我，只想做他身边的小书童，守着曾经日夜与他相伴的青灯古卷，汲取点滴营养，跟在他的身后，一步步、一程程地俯拾着被他散落了的那些诗词小令。

最后，我们将他的眉目掩去，拉上幕布，希望给词人安静的生活。

冬之章

冬日暮歌

乘朔风，轻迈步；踏积雪，望长空。宋词的冬寒，有花间晚照，惊动了年月的琐碎；有金戈铁马，豁达面对得失起落。在宋词中走遍四季，走遍万水千山，终于明白诗词的内涵。宋词是绵长而柔然的力量，唤醒变幻的人生意义。

追忆上元佳节，那时青春

去年元夜，正钱塘，看天街灯烛。闹蛾儿转处，熙熙语笑，百万红妆女。

今年肯把轻辜负。列荧煌千炬。趁闲身未老，良辰美景，款醉新歌舞。

东京汴梁元宵上元夜，那是一场百万人员参与的盛宴，嬉闹的人群中，来往的女子头插雪柳的头饰，三两做伴，笑语盈盈，一路飘香，肆无忌惮地四处张望。有人相逢，有人钟情，有人执手，而后便是悄悄地从人群中消失了。年轻男女的自由欢会正是宋代元宵夜狂欢的重要部分，那时青春，一切似一条年轻的河流，日夜弹奏着一曲亘古的歌谣。伴着这天街灯花、十里长香，汩汩地演绎多少美妙故事。

正因为如此，才有了那么多宋词以惆怅的追忆之调来写元宵佳节，追忆那些夜晚留下的笑语歌舞。词人赵长卿的这首《探春令·元夕》也是如此笔调。

宋代元宵灯节就从人们最感兴趣的男女情事开始了。

那是非同寻常的夜晚，大街上，车水马龙，花灯满街，焰火冲天，人声鼎沸，商贾云集，既有宝马雕车，又有平民驱赶的牛车，让我们在宋词中随着众人，跟随观灯的人群缓慢行走。

禁漏花深，绣工日永，蕙风布暖。变韶景、都门十二，元宵三五，银蟾光满。连云复道凌飞观。耸皇居丽，嘉气瑞烟葱蒨。翠华宵幸，是处层城阆苑。

龙凤烛、交光星汉。对咫尺鳌山开羽扇。会乐府两籍神仙，梨园四部弦管。向晓色、都人未散。盈万井、山呼鳌抃。顾岁岁，天仗里、常瞻凤辇。

宋朝的元宵节，放假时间是最长的，足足有五天。而扎灯工作通常要从前一年冬至就开始了，街上用彩色丝绸结成巨大山形，像传说中的巨鳌，因而得名鳌山，上悬各种大小花灯，最高处自然是条条金龙，每条龙口中点燃烟花，燃烧不断。家家门厅之上也都悬挂花灯。要是豪富之家，还会摆放五色屏风炮灯，四边都挂名人书画并奇异古董玩器之物，极尽奢华，才有了柳永的这曲《倾杯乐》中呈现的好光景。

山东词人李邴年轻时曾到京城观看过一次灯展，就再也不想离开那里，便誓言一定考取功名留下，还写下了一首感悟——《女冠子·上元》：

帝城三五。灯光花市盈路。天街游处。此时方信，凤阙都民，奢华豪富。纱笼才过处。喝道转身，一壁小来且住。见许多、才子艳质，携手并肩低语。

东来西往谁家女。买玉梅争戴，缓步香风度。北观南顾。见画烛影里，神仙无数。引人魂似醉，不如趁早，步月归去。这一双情眼，怎生禁得，许多胡觑。

全城的人都沐浴在这狂欢的喜庆中，罗绮的清香和旖旎的风情随处可见，年轻的男女终于可以有机会不再矜持，他们会一见钟情，他们会终生相随，真的，漂亮的美眉与俊俏的帅哥随时都会出现，你怎么忍心离开这个节日？换作是你，你忍心离开吗？

即使到了南宋，民生最为凋敝那几年，可它的上元夜依旧依照东京体例，市中心添搭两座鳌山，通宵不禁，十三至十七，放灯五夜。朱敦儒在《如梦令》中说，“占早烧灯欢会。欢会。欢会。坐上人人千岁”，三街六市一样是如此的世俗热闹。

当然灯节也有悲伤，那首最为著名的也最为争议的《生查子》传颂出节日的悲伤。

去年元夜时，花市灯如画。月上柳梢头，人约黄昏后。

今年元夜时，月与灯依旧。不见去年人，泪湿春衫袖。

争议是这首小词的作者，是欧阳修还是朱淑真？历史上的研究者一直辩来驳去。明代学者杨慎说是朱淑真，清代纪晓岚编《四库提要》，就拼命地反驳说是欧阳修，认为著名女词人不可能写出这种有损名节的东西。到现在还没有定案。

其实，这首词更接近于朱淑真的风格，清新平白、直抒胸臆，有着小女子天然的风情与痴诚。她说元宵佳节，城乡欢腾，男男女女都兴兴头头上街来看花灯，江南春来早，当奇巧争艳的花灯把街巷占满时，柳树都已经抽条泛绿了。千条万条要随春风摆动，犹如此刻自己的心情，站在树下等待去年元夜相见的人儿，忐忑不已。

只是见不到去年那个人了。只剩下她站在这里，默默哭泣。

关于宋时的上元夜，哭泣也是它，欢喜也是它。宋时的文人最会摹写温柔富贵、花柳繁华，因此，我们眼中的宋代是多姿的、立体的，总觉宋代是如此贵气。

元宵一直流传至今，不过现在的街也多了，街街亮如白昼，人们若是出来观灯也一时也找不到哪条街才是真正的上元灯市，社会的发展多少使得灯节意兴阑珊。

对于这样的节日，我们也总是潦潦草草，潦草到连一点印迹都没有。早晨起来，煮一袋从超市买来的速冻汤圆，吃一下，这样子就算过节。大部分人对这样的速食不感兴趣，干脆不吃了。于是，元宵佳节就这样过去了。

这样说来，元宵还一直是那个元宵，不同的只是我们，上元佳节对于我们已经贫瘠得成为一种形式，多情的只是我们读词的心，让我们以为节日里会遇见一位兰心蕙质的多情女子，“蛾儿雪柳黄金缕，笑语盈盈暗香去”，是我们一生追求的红颜知己，静静微笑，让我们沉醉，这也许是对元宵的追忆或者梦境一场。

天舒
2016.12.8.

江水滔滔，相望于长江尾

我住长江头，君住长江尾。日日思君不见君，共饮长江水。

此水几时休，此恨何时已。只愿君心似我心，定不负相思意。

还记得《上邪》吗？“我欲与君相知，长命无衰绝，山无陵，天地合，江水为竭，乃敢与君绝”，汉乐府中的痴情难离，道尽了多少对“长相守”的渴望。而多年以后宋代词人李之仪一首寄情于山水长长的小令更是一首清丽流畅的吟诵，似望夫崖上的女子，与相思之人天各千里，相逢难了，犹如流水涛涛的长江而绵绵不绝。

均与山水引入，苦情离愁，融情其中，为情愁，道不尽诗人情怀。

李之仪为山东沧州人。有宋一代，山东的词人不多，山东人豪爽，大抵会想到“气吞万里如虎”的辛弃疾，或者景阳冈只身打虎的武家二郎，读李之仪的诗词，会觉得他的非同寻常，和辛大人、武二郎是不同的类型，倒和同是山东人的李清照更近一些。

不见又思量，见了还依旧。为问频相见，何似长相守？天不老，人未偶。且将此恨，分付庭前柳。

这是《谢池春》词的后半阙，站在你面前，看着你的眼睛，张开口，却什么也说不出来，只是心里堵得难受。我是爱你的，我是想着你的，这你也知道。我们深知自己所爱，却要挥手说再见。生活着实让人心伤无奈。

这种坎坎坷坷也是李之仪人生的写照，作为宋神宗熙宁三年（公元 17 年）的进士，元祐末年（公元 1094 年），他进入苏轼苏大诗人的定州幕府，其才华受到苏轼称赞。能得到东坡先生赞赏的人，才当亦高，想来李之仪也会有些自喜的。然而，东坡先生才高而命不济，连累得李之仪也因此被罢官。后来，他好不容易做了个管药库的官员，御史石豫参劾他曾为苏轼幕僚，不可以任京官，又被停职。

再后来，李之仪提举河东常平。此时，奸臣蔡京当权，与范仲淹的孙子范正平有隙。李之仪又因从师范正平的父亲范纯仁遭到蔡京挟嫌报复，被除了名，贬出京城去唐州了。

后来的后来，李之仪终于遇赦复官，授“朝议大夫”，但他未未去赴任，饱尝了官场黑暗和人间疾苦，对官场早已看透，他找了一个宁静之地——南姑溪河，长江下游的一条静美之河隐居，他亦同当年苏轼谪黄州时自号“东坡居士”一般，自名“姑溪居士”。

隐居之后的李之仪有个好友常往来——沈括，写出百科全书《梦溪笔谈》的那位杰出大家。沈括此时居住在不远的镇江，沈括当年也积极参与变法运动，受到王安石的信任和器重，担任过管理全国财政的最高长官三司使等许多重要官职。后来命运和李之仪差不了多少，先是被诬劾贬官，出知宣州，后来守边疆，不久又遭诬陷，晚年只好移居梦溪园，专心写《梦溪笔谈》。这是那个时代政治的必然结果。谈政治哪有诗词来得爽快，二人一起诵读《卜算子》。

我住在长江之源，你住在长江之尾。日日夜夜思念着你却总不能相见，你我同饮着一江之水。这江水何时不再奔流？这幽恨何时能够停止？但愿你的心意与我相同，我绝不会辜负相思的情意。

江水不休，情谊绝不辜负，而你现在在哪里？

姑溪居士就在春日的下午，坐在这一阕宋词里，倾诉他如江水一般绵长的相思以及相思之苦、之痛。他在水边掬起一捧水，江水清冽。他轻甩衣袖，便也结满忧伤。

《卜算子》其实是李之仪写给去世爱人的词，在极度痛苦中对爱情的真实呼唤。当岁月流逝，所有的东西都消失殆尽，唯有空气中飘荡的气味还恋恋不散。

试着将心事写意成一幅水墨画，听凭南方霏微的烟雨滋润绝美的词章。时光流逝，总以为对你的记忆能够在岁月的迁徙中渐渐散去，但是时光流转，回忆反而像这江南细雨一样淅淅沥沥，潮湿而黏着，依附于心，一切渐渐清晰。

沈存中（沈括字）兄，我要怎么才能不惦记？

读惯了平静，看惯了圆满，便觉得《卜算子》很美，还总希望能遇见那一样的爱情，知晓背后的故事，知道李之仪是在写着自斟自饮一种淡甜的毒药，等待缓慢地些许清醒了，才知道古代里的爱情也并不都是完美的。

要不，“执子之手，与子偕老”这句最让人期盼的句子读多了就觉得是绝望？要不，“人生若只如初见”这么静美的意境其实是不能如初见。要不，你若是知道了是个不完美的结局，是否还会有初次见到他的怦然心动？要不，你若知道了终是个空欢喜一场的相见，是否就会在见到他的时候就故意转过身去装作没有看见，或是自己早已独自哭成了泪人儿？

这是中国历代诗词的故事，也是我们日常生活中最常见的切身感触。日日思君不见君，共饮一江之水。从最初的“关关雎鸠，在河之洲”“盈盈一水间，脉脉不得语”，漫过汉魏六朝，流经唐朝瑰丽的诗篇“黄河之水天上来”“日出江花红胜火，春来江水绿如蓝”，淌入宋词“玉鉴琼田三万倾，著我扁舟一叶。素月分辉，明河共影，表里俱澄静”（《念奴娇·过洞庭》）、“念去千里烟波，暮霭沉沉楚天阔”。爱情的绝唱，不是分离，而是相爱却无法相守，就算是日月如江水滔滔、无休无止，一样与你相望于长江之尾。最终，所有的一切，那些所爱所想，那些所理解或者不理解的故事，都会流入奔腾的河流中，浪花飞扬。

衣暖，菜香，自我快意时光

春涨一篙添水面。芳草鹅儿，绿满微风岸。画舫夷犹湾百转。横塘塔近依前远。

江国多寒农事晚。村北村南，谷雨才耕遍。秀麦连冈桑叶贱。看看尝面收新茧。

从田间抬起头来，看烟雨迷蒙的江南中的远山如黛，垂杨绿柳在半醉半醒中近水如烟。仿佛在画中一样，人在画中，在碧柳桃花中穿行而过，领略着江南的妩媚与清秀，几番快意，恍若置身传说中的世外桃源。这是南宋词人范成大名作《蝶恋花》传递出来的清新、明净。

文人何事可以快意？古人给了我们明确的答案。最快意之事，莫如李白之“御手调羹，贵妃捧砚，力士脱靴”，司马相如之卓文君当垆卖酒，严子陵之与帝共卧……这些在南宋恐怕都赶不上也做不出来了。

在南宋这个苟且偷安的王朝，边境不消停，人心惶惶，怎么能有盛世才有的风光？纵有无数爱国志士，为复国而奔走疆场，孤单寂寞就在这飒飒的风凉中独自穿行，身悬长剑，却不能收复千山万水；未能上疆场的人诗词出世，却只能权作自言自语。没有快意可言，还有另外一帮人更不提半点政治风光，因而一头扎进了田园菜圃当中。

扎进菜圃最深的，就是范成大。范成大生于南宋，和他的著名老乡范仲淹没有什么亲戚关系，不过他的母亲是北宋书法四大家之一蔡襄的孙女，说起来是名门之后。不过到范成大之时，范家当时已然没落了，加上父母双亡，他绝对是贫寒之士，日子本来就难熬，范成大是家里老大，只能硬着头皮拉扯弟弟妹妹。宋高宗绍兴二十四年（公元1154年）中了进士，最后官拜起居郎、假资政殿大学士，奉命出使金朝。为了改变接纳金国诏书礼仪和索取河南“陵寝”地事，任金人威逼利诱、软硬兼施，就是不吃这一套，差点被金人一刀砍了脑袋，终于不辱使命地回来了，写成使金日记《揽辔录》。后来，他一路做到了参知政事，这个位置范仲淹、王安石等人都做过，相当于宰相，可谓一人之下万人之上。可偏偏范成大非要跟宋孝宗较劲，朝政意见上几乎都不统一，两个月不到就辞职了，然后跑去隐居。

归隐后，他定居苏州石湖，自号“石湖居士”。他的手，拿起了锄头，这双手，是以前书写奏折的手，他也不管是否会变得粗糙，把自己整成个彻头彻尾的农民模样——上地干农活去了。不过，说到干农活这事，我们的范成大可不是来虚的，他可是脚踏实地、勤勤恳恳地干，而且还不是一时兴起，偶尔为之，他一干，就是好多年。“种木二十年，手开南野荒”“忆初学圃时，刀笠冒风霜”“明日岸田并灌园，种苗种豆从此忙”，他若不是如此身体力行地实地考察，又怎么会写出后来的《四时田园杂兴》这么好的田园诗呢！

乡土人情自此弥漫他全部的生活。

《四时田园杂兴》共六首，宛如农村生活的长幅画卷。分为春夏秋冬四个诗卷，其中春日田园杂兴十二首、晚春田园杂兴十二首、夏日田园杂兴十二首、秋日田园杂兴十二首、冬日田园杂兴十二首。描写了四个季节田园中的不同景象，生动绘制了一幅田园农作动态图。

昼出耘田夜绩麻，村庄儿女各当家。

童孙未解供耕织，也傍桑阴学种瓜。

那是初夏的季节，白天锄地，夜晚搓麻，农家男女各自忙着自己的事情，各有自己的本事。小孩子哪里懂得耕织之事？却也模仿大人的样子，在靠近桑树的树荫下学着种瓜。这是农村中常见的现象，却颇有特色。诗人用清新的笔调，对农村初夏时的紧张劳动气氛，做了较为细腻的描写，读来意趣横生，风格清新明快。

所以，后人都说在田园诗这个方面，范成大是大成者，而且和唐朝的王维、孟浩然笔下的田园诗不同，范成大不仅描写民间生活，同时也有很多诗诉说百姓之苦。

其实说到底，王维、孟浩然还是处于文人士大夫的身份来描写的，他们对田园的赞美很大程度上还是一种玩乐的态度。他们久居官场，繁事缠身，自然想要在宁静、和谐的田野中好好地放松。所以，实际上，他们离农民的距离还是很远。如果你真想要了解一个群体，光站在上面看是不够的，你要下来，和他们融为一体，才能真正感受到他们的喜怒哀乐。范成大做到了，这点并不容易。写点称赞农民的诗简单，也就是动动脑子动动笔的功夫，可要真正屈尊去当一个农民，在那田埂间，忍受烈日的暴晒，经历繁杂的工序，体验那种汗水浸透衣被的辛苦，你只有设身处地，才会明白。范成大明白了，所以他会发自内心地尊重农民、同情农民。只有他，才懂得农民历尽艰辛的悲苦和苦尽甘来的欢乐。所以，他的田园诗中的描写是如此细致和真实，充满了泥土的气息。

梅子金黄杏子肥，麦花雪白菜花稀。
日长篱落无人过，唯有蜻蜓蛱蝶飞。

一树树梅子变得金黄，杏子也越长越大了；荞麦花一片雪白，油菜花倒显得稀稀落落。天长了，农民忙着在地里干活，中午也不回家，门前没有人走动；只有蜻蜓和蝴蝶绕着篱笆飞来飞去。

忧国忧民、诉说人民疾苦，无能为力、只能躲进田园的岂止是范成大？南宋四家尤袤、杨万里、范成大、陆游中除了陆游的爱国诗词闻名居多外，另外三人则大多以描写民间生活著称，范成大的明快流畅，尤袤的诗清新如水，还有杨万里的活泼自然、意义新巧。当时的南宋，战事萧条，国家政治面临危机，可是因为南部有优厚的经济条件，支撑着国家的财政收入。收入大多数是来自对百姓的盘剥和对外贸易。不过，尽管农村的生活艰苦，但寻常百姓家却大多充满小桥流水、海棠春睡、花红柳绿的景象。江南的杏花烟雨，永远是那么轻柔缠绵，幻化出一种迷离的梦境。

泉眼无声惜细流，树阴照水爱晴柔。
小荷才露尖尖角，早有蜻蜓立上头。

蜻蜓点水，微波不惊，泉水、树荫、荷花，皆是清新可爱的自然情景，娇俏可怜，让人不忍踏足破坏这份景致。杨万里的诗，常常充满“日长睡起无情思，闲看儿童捉柳花”（《闲居初夏午睡起二绝句》之一）的雅致和“竹边台榭水边亭，不要人随只独行”（《春晴怀故园海棠》）的悠然。他自创了“诚斋体”，是把握自然万物和日常生活中常人难以发现的或容易忽视的、富有情趣与美感的景象，以稍显泼辣俏皮的手法融进诗中。

其实，民间的生活好与坏、悲与苦，诗人又怎会不知道？他们并不去多言语，只能通过田园去侧面反映，压抑在胸中的万丈狂澜、千层熔浆，便做了深海、冰石中的暗涌，深沉愤郁，含而不露。而酷爱田园生活，是诗人、词人的一种生活情趣，也是民间百姓希冀的生活氛围。南宋的词人也有许多像范、杨等人爱山水田园，例如徐照（字灵晖）、徐玑（字灵渊）、赵师秀（字灵秀）、翁卷（字灵舒）四人，因为他们同出永嘉学派叶适之门，其字或号中又都带有“灵”字，所以被叫作“永嘉四灵”。“四灵”或为布衣，或任微职，都是命运落拓的贫寒之士。他们的生活面狭小，诗歌内容也比较单薄，不过也多有情趣。江南的诗词天空，在南宋晚期，依然让所有的人都迷醉，踏着江南皎洁的月辉，有几多繁华与妩媚。

赶不上历代文人的风光快意，只能让自己的内心得到满足，其实，内心的满足，诗人才是真正地快意，我们在南宋的乱世游走，发现竟有众多田园诗词作者，无论他是富贵如意还是穷愁潦倒，一派繁荣，想想他们，隐于山林，写写诗歌，该有多么快意啊！

仙迹就是转弯处露出的春芽

独专山水乐，付与宁非天。

三百六十寺，幽寻遂穷年。

苏轼晚年回忆西湖时候写下了这首《怀西湖寄晁美叔同年》，山水之乐、脚踏香泥，佛寺林立，幽景扑面而至。

对现代人如你我而言，佛也许只似那一缕青烟，从张爱玲的十二香炉中袅娜升起，从戴望舒的迷蒙雨巷中穿堂飘过，直落入杜牧那江南浓墨重彩的烟雨中，飘荡。

佛教的兴盛也许只有在宋代诗词中才能得到深深地体味。在那被苍凉尘沙不断漫卷的汉代，在那被宏大话语不断囊括的唐朝，绝少有人能够真正体味佛学，品读佛学的豁达与幽思。唯有宋代的文人们，才有这份幽寻的细腻，半痕冷月一段断桥，河上画舫中有箫声传来，落入那佛寺的烟雨蒙蒙之中，宛如仙境。

居于江南的宋王朝，佛教的淡泊宁静之感令许多人甚感安慰。在当时市井发达、商业繁荣的大背景之下，佛教能给人们带来与凡尘俗世不一样的感觉，因此，佛教在宋朝能得以广泛地传播也不足为奇。所以，寺庙也就修建得十分之多。当然，这点除了是因为人们思想上的信仰之外，还要得益于文人们的推广。拿苏轼来说，苏轼的前半生官场起伏，而后半生则是与佛结缘，终日参悟佛法，与人论道，而在宋朝像苏轼这样的文人士大夫并不在少数，所以，对于佛法的参悟与推广已经成为当时的一种社会风气和时代风尚了。在那个时代，人们通过学习佛理可以了解到：其实寰宇如此之大，并非仅仅是天地君亲师而已，还有更多他们无法领会到的领域。

这就促使当时的许多人对佛法产生了兴趣，夏元鼎是其中重要一角。夏元鼎，字宗禹，是南宋时期永嘉地区的人，关于他的生平资料十分之少，只有从一些零星的文献上可以考究到夏元鼎爱好旅游，而且还偶遇仙人，为他传授。夏元鼎之后才自号为云峰散人、西城真人。他一生强调自身修炼，属南宗清修派。这就是关于夏元鼎的一生。

细说这些，是为了能更好地理解佛教在宋代的思想理念。夏元鼎初修道，后学佛，最后主张佛道回归。元鼎能词，著有《蓬莱鼓吹》一卷，书中所写，大多是和修行有关。

久视长生，登仙大道，思量无甚神通。正心诚意，儒释道俱同。虽是无为清净，依然要、八面玲珑。朝朝见，日乌月兔，造化运西东。

黄婆能匹配，天机玄妙，朔会相逢。正三旬一遇，消息无穷。不待存心想肾，非关是、打坐谈空。君知否，灵明宝藏，收在水晶宫。

现今，在西方哲学和科学的大力推行下，对于虚妄的灵魂不灭等说辞，人们已经不再抱有热忱了。但在夏元鼎所处的那个时代，因为对于未来和时空的不甚了解，人们所能解释万事万物的也只有唯心而论了，夏元鼎自然也不能免于俗套。走出历史那个时代狭小的地域，在他寻师问道期间，所得来的理论到也是章剖句析，皆有灼见。南宋学者真德秀和他交往密切，称夏元鼎所著“读之使人焕然无疑”。在这首《满庭芳》一词中，夏元鼎正心诚意，主张三教合一，“非关是、打坐谈空。君知否，灵明宝藏，收在水晶宫。”词尾以这句结束，表明宋人的修道学佛所看重的并不单单是那修行过程，更在于内心的感受。

崆峒访道至湘湖，万卷诗书看转愚。
踏破铁鞋无觅处，得来全不费工夫。

这是夏元鼎的著名七言绝句，也是他修道学佛的真实感受。佛学流传发展至今，他认为根本不必执着于书本之上，而是要放眼世界，这样才不会走入歧途，或背离真相，而且一直的执着对修炼也未必就有好效果，反而在适当的时候放弃才会得到意想不到的效果——“踏破铁鞋无觅处，得来全不费工夫”，风景也许就在那人生的一转弯处露出春芽。这浅显的情感隐藏在夏元鼎朴实无华的笔锋之下，在他的笔尖流淌成了一首一首读之有味的诗词。夏元鼎毫不造作，就如同他本人的实际生活一样，在无华的光景间就流露出了真性情，似是一种仙境，这份性情从夏元鼎身上流淌而出，却不知道感染了多少后来人。

读他的词就好像在山顶之上吹着清冷的微风，仙气顿生，令人神清气爽，在南宋的不安大环境下，虽然怡然自得的并不只有夏元鼎，一大批文人也有这样淡泊清疏的词句，但是，夏元鼎却能将这份情愫通过佛学，入木三分地描写出来，因为这是他一生所悟出的道理。人生很长，人生很短，夏元鼎借着四季风光来写人生应当巧乐对待，其实寻道不需要专门的坐禅，也不需要专门的桂冠，只要心中有道、心中有佛，便是一生流连四方，也最终是身处佛道之中。这便是夏元鼎的人生哲学，他睿智地看到了人生的关键之所在，便是随缘而安。

佛道真似那一股青烟。对于我们今天的芸芸众生而言，也许我们并不需要这些来指引或者熏陶，但读这些诗词，也会悟出一些简单的道理。人生长路，很多时候都由不得我们自己来选择，执着还是虚妄，有时可以讲求随缘而安，正如夏元鼎词中所言，“踏破铁鞋无觅处，得来全不费工夫”，世事漫随流水，风吹船动，船走人随，人间之事，就如同落入掌心的水滴，倏忽而至，又倏忽而逝，抓不住影踪，不如随缘。

释兵权，一壶酒开启诗酒人生

我们看《水浒传》，从头至尾描述贩酒卖酒的文字段落举不胜举。单说武松去快活林的路上一共十四五里，卖酒的人家有十二三家，几乎一里地就有一个酒店，农村中酒店的密布尚且如此，更别提都市之中了。无论是“武松打虎”还是“快活林怒打蒋门神”以及“孙二娘十字坡开黑店”，都可谓“无酒不成书”。那一壶壶酒，扯出一段段快意人生。

不过，宋初对酒管理很严格，宋朝对酿酒的“酒曲”以及贩酒，也有着明确的规定。五代后汉初，贩卖酒曲者弃市，后周朝时，数量达到五斤便处死。宋太祖赵匡胤于建隆二年（公元961年），改变后周一朝此法过于严峻的做法，规定“犯私曲至十五斤、以私酒入城至三斗者始处极刑”。第二年，再立新规：“户私造差定其罪：城郭二十斤、乡闾三十斤弃市；民持私酒入京城五十里、西京及诸州城二十里者，至五斗处死”。政策一年比一年宽松，然后就放开酒的管理了，及至到了施耐庵的笔下，大宋朝处处酿酒，梁山好汉们更是个个好酒。这好汉们具体喝过多少酒，没有统计过，估计，也够半个水泊了。好汉们好酒，与大宋朝廷的重酒，不无关系。

那一杯杯酒停在宋朝，并不曾凉却，来来，我们来喝一口。

不过，有一杯酒恐怕我们并不想去尝，因为它的代价太高，有几个人尝了它，手握的兵权就没了。

自古都是功高则震主，权大则不测，因此“鸟尽弓藏，兔死狗烹”，春秋战国之时范蠡何等明智，功成身退，泛舟湖上，从此世间多了一个陶朱公；文种何悲，难舍富贵，性命不保，落得一个自刎而死。这种方式刀光剑影、残暴血腥，难免为后世所诟病，宋太祖赵匡胤却不费一兵一卒，以一杯酒手不血刃就将其亲信的兵权收归己有，没再上演其他王朝开国之初的悲剧，真是高明之至。

那是建隆二年（公元961年）七月初九晚朝，宴会上赵匡胤和石守信等几位禁军高级将领一道欢聚，觥筹交错，酒酣耳热。在这片祥和的氛围之中，赵匡胤突然屏退众侍，长叹了一口气：“若无诸位相助，朕哪里能有今日的地位呢？只是做皇帝实在不易，朕是夜不能寐啊！”众人骇然，忙问原因。赵匡胤说：“朕现在的这把椅子谁不想坐呢？”大家惶然倒地磕头：“如今天命已定，谁敢生异心？”赵匡胤摇摇头：“不然，你们虽无异心，但若你们的部下想要谋求富贵，将黄袍披在你们身上，那时你们恐怕也就身不由己了吧！”将领们这才明白这次的宴席原来是鸿门宴，不由得魂飞魄散。赵匡胤又缓缓说道：“人生在世，不过白驹过隙，所谓富贵，不过多聚钱财，披及子孙。依我之见，不如辞去军职，还乡置良田美宅，夜夜欢歌。朕与你们约为婚姻，从此君臣无嫌，上下相安，岂不美哉？”说着，举起手中的杯子：“愿听从的，不妨与朕饮了这杯酒。”跪在地上的将领们这才战战兢兢地爬起来，举起了酒杯。

这大概是中国历史上最为昂贵的美酒了，第二日，石守信等人纷纷上表请求解职，宋太祖欣然应允。

一杯酒，很潇洒地解决了军权问题，真有那种“谈笑间，樯橹灰飞烟灭”的感觉。

解职归家的大将当然都去享受生活，日日宴会喝酒。人生如酒，一杯开胃，两杯解千愁。

赵匡胤对军队有所猜疑，是因为他自己就是从一个军队首领而一跃成为帝王的。宋建隆元年（公元960年），契丹北汉发兵南下，当时的殿前都点检、归德军节度使赵匡胤被遣御敌，大军在大梁（河南开封）东北四十里的陈桥驿安营扎寨。黎明时，他的部下把早已准备好的黄袍披在他身上，拥戴他为皇帝。消灭了契丹大军后，赵匡胤便以皇帝身份返回大梁，石守信等人打开城门接应。很快，周恭帝退位，赵宋王朝开国。这就是历史上有名的陈桥兵变。

宋儒邵尧夫有一首诗这样说：

纷纷五代乱离间，一旦云开复见天。草木百年新雨露，车书万里旧江山。

寻常巷陌陈罗绮，几处楼台奏管弦。人乐太平无事日，莺花无限日高眠。

百姓在乱世当中得这一天子，如再见明日之面一般，又受惠其仁政，眼前此刻一片四海升平，宇内繁荣。但这天子也有后怕。其实，最热心于“释兵权”的并非赵匡胤，而是宰相赵普。他曾经多次暗示宋太祖几位高级将领的危险性。赵匡胤曾信誓旦旦地说，我待他们恩重如山，他们怎会

2017.8

背叛我？赵普道：后周皇帝柴荣同样待你不薄，为何如今由你坐上了皇位？石守信等人能管住自己，但是如果他的部下把黄袍披在了他们身上，他们纵然不想叛变也不可能。宋太祖这才决定要把兵权收于自己之手。但是他并不想杀他们，一来这些将领都是他的拜把子兄弟，于人情不通；二来，会弄得人心惶惶，怕他们穷寇反扑；三则有失民心。因此，和赵普反复磋商之后，才定下了杯酒释兵权之计。

那么，赵普又何以如此热心此事呢？一是他具有政治家的远见卓识；再者，陈桥兵变之后，石守信等人很快擢升为禁军统领，而作为陈桥兵变的主要策划者——赵普却是在太祖相继罢免了后周宰相范质、王浦、魏仁浦三人之后才提升为相的。这自然有安抚旧臣的考虑，更重要的是宋太祖对文臣此时并不重视，赵普自然要为改变自身的地位而努力，当然，他想不到他改变的不仅仅是自己的命运，还有此后几个王朝知识分子的地位。

杯酒释兵权，比较理性地解决了皇帝和开国功臣之间的矛盾，维持了宋初的稳定。此后的军队职务多由文人担任，重武轻文成为宋朝的标志。知识分子的地位前所未有地得到提高，一批士大夫在宋朝的舞台上挥下了浓重的一笔：唐宋八大家中，就有六位出自宋朝。文人士子在朝堂之上纵谈天下，整个王朝弥漫着浓重的书卷气。但与之形成鲜明对比的是，能抗敌救国的武将英才却总是不被重用。如将军狄青求马革裹尸而不得，却因被猜忌郁郁而终。

如此，宋朝就如同娇嫩的花蕾，有美丽的光泽，却经不起风雨的摧残。它能够创造出璀璨的文化，却又不幸成为一个积贫积弱的国家，而这竟然都与一杯美酒相关。

随后，宋朝的重酒一日赛一日，喝多了就成了习惯、成了习俗。这些小杯抑或大碗酒水，与文人雅士相伴，才有了馥郁的香气、浪漫的文化，才有了醉人的诗酒人生。

你看，那湖边绵绵细雨，在乌篷船里喝一壶美酒，诗人米芾与三两旧友促膝长谈，“玉尖弹动琵琶。问香醪饮么”（《醉天平》），还喝不喝酒了？

又或如词人赵长卿与友人抵足而眠，醒之后，“白酒已篘浮蚁熟，黄鸡未老藁头肥。问侬不醉待何时”（《浣沙溪·初冬》）。酒已煮好，鸡已炖好，此时不醉更待何时，这一醉可消十年旧梦。今人如你我者，怎不羡慕这人生一大快事！

驾长车叹息，将心事付于流年

在老百姓的记忆里，北宋亡国之后一片狼藉萧条，金兵所到之处，生灵涂炭。汴京百姓无以为食，将城中树叶、猫犬吃尽后，就割饿殍为食，再加上疫病流行，饿死、病死者不计其数。都城开封如此，中原百姓更是在金兵的铁蹄下悲恸哭号。如此惨烈的灾难，给宋人留下了难以治愈的伤痛，也成为此后南宋志士仁人奋发图强的精神动力。

男儿欲作健，结伴不须多。鹞子经天飞，群雀两向波。

雄健的鹞鹰冲天而起、怯懦的群雀如水波躲向两侧，当时众多真男儿敢以上前线敌众，足以感奋人心。如北朝民歌《企喻歌》中的男儿形象一样，岳飞就是如此。

只是武将们生在南宋，有一腔血洒疆场的豪情，终究也难逃终生遗憾的结局。

“公卿有党排宗泽，帷幄无人用岳飞。遗老不应知此恨，亦逢汉节解沾衣。”陆游陆放翁对南宋投降派的勾当发文痛斥，为岳飞扼腕叹息。

绍兴十一年（公元1142年）十二月二十九日，苍茫大地发出了震耳欲聋的吼啸，一代名将岳飞屈死风波亭。天下人无不为之痛哭流泪，临安人民悲恸万分，他们通过各种形式的悼念活动，表示对高宗和秦桧迫害忠良的强烈怨恨。

老百姓的心声和那首荡气回肠的《满江红》，任何时候读来，都能把人带回那个国破家亡、山河碎裂的时代，再见岳武穆面对外族入侵、铁蹄蹂躏家国时的满腔愤慨和报国壮志。国家兴亡，匹夫有责，白却了鬓发，也要冲锋陷阵，复我万里河山。精忠报国，一个永远牢刻在英雄脊背的谆谆教诲，即使跨越了千年，在历史的任何一个经纬点上，依然掷地有声！

英雄的称呼来自一颗赤胆忠心，还有令金兵屁滚尿流的旗号“岳家军”。当年的中兴四人李纲、宗泽、岳飞和吴玠同样力图北伐，但从战绩和受百姓爱戴两方面看，岳飞最为出色。

岳飞在战场上主要做了三件大事：平定李成等游寇，镇压杨幺等农民起义军和抗击金兵。在这三件大事里，他最想做的事是反击入侵的金兵，这也是从一个农家小少年入伍后始终追求的最高理想。几次交锋，金兀术不仅拿他没办法，而且每次都输得很是难看，金兵慨叹“撼山易，撼岳家军难”。这支所向披靡的军队，能达到这样的高度，有两个法宝。首先是岳飞的调教，其次是军队的作风。如何把军队和人民大众牢牢地联系在一起，这一点岳飞悟到了精髓。不像南宋其他军队，没上战场就上床，天天想着抢个美女，这儿要吃，那边要喝，而岳家军做到了不拿群众的一针一线，“冻死不拆屋，饿死不打掳”。他们平时居住在军营当中，街巷中很少有出外游逛的士兵。在行军途中，则“夜宿民户外，民开门纳之，莫敢先入。晨起去，草苇无乱者”。战为民，又不扰民，岳飞的军队保护了最广大人民的根本利益，称得上南宋的“人民解放军”。赵构也看到了，因此，在奖励岳飞的许多诏令中，几乎每一次都称赞他的治军有法、纪律严明。这是一支军队最感人的地方，也最让敌人胆寒的力量。

人民的力量是伟大的，在国家面临危难的时刻，他们也挺身而出，一起抗金。岳飞对自发的民间抗金组织颇为重视。除了体恤百姓，团结百姓的力量则是岳飞的另一个高明之处，“联结河朔”的军事思想证明了这一点。

带兵打仗的人要是天天沉浸在战术的研究和《孙子兵法》的文字牢笼里，顶多能打几个胜仗，但把各种力量都联合在一起，团结一切可以团结的力量来抗击敌人，层次就不一样了。一个是战术，一个是战略。岳飞能成就一段军事传奇的关键就在这里。

不少学者毫不吝啬地评价是岳飞是南宋出类拔萃的名将，在中国古代军事史上占有相当的地位。同其他朝代的名将相比，必须考虑到宋朝文官政治下根深蒂固的抑武传统，对尚武精神的摧残等不利条件，其成就和贡献更是难能可贵。

他从未退缩，在种种不利形势下，只能一声叹息，将心事付于流年。河山为收复，我怎敢退缩？

昨夜寒蛩不住鸣。惊回千里梦，已三更。起来独自绕阶行。人悄悄，帘外月胧明。

白首为功名，旧山松竹老，阻归程。欲将心事付瑶琴，知音少，弦断有谁听。

此刻，雾霭渐重，岳飞的身影逐渐迷离，把一壶淡酒，伴着更鼓到天明。虏猷未灭，壮志未酬，过去的一切，就像梦一样出现在脑海里。战马长嘶，金戈铁马挥戈的战场，岳家军所向披靡，而现在陪伴他只有窗外屋檐下的蟋蟀声，还有山岭上阵阵的松涛声，终于明白收拾旧河山的理想破灭，终于莫名地悲伤、凄凉了起来。于是，岳飞感慨写下这一首《小重山》。

后来，南宋朝廷的主和派占了上风，以岳飞为主的主战派，大多数倒向了秦桧之流，成了保全自己的势利小人，所以岳飞感叹知音少，就像伯牙和子期，他望天长叹发出“弦断有谁听”之感慨！

再后来，那个秦桧怕岳飞东山再起，索性以“莫须有”的罪名，把岳飞杀死在现杭州大理寺风波亭，岳飞遇难时年仅三十九岁。

三十九岁，对于人的生命实在是太短暂了。三十九岁，正是人生黄金时期，人的智慧和思想正是旺盛年代，精力充沛，有很多事等着他去实现。三十九岁，人生从而立之年走向不惑之年，生命就结束了，可悲又可叹！

如此看来，也不难理解荆湖北路的寻常人家在岳飞被害之后，不顾引惹出祸患，家家户户全都画了岳飞的肖像在家中加以供奉。一个国家、一个民族的危难时刻，总需要有人挺身而出，去拯救摇摇欲坠的国家和政权，使生灵免遭涂炭，山河得以完好。时势呼唤这样的英雄，急盼他们勇敢地站在历史的转折点上力挽狂澜，他们的出现是家国之幸、时代之幸。但不是每一个时代，每一个当权者都能珍惜横空出世的救国英雄，都能善用他，一举逆转颓势，重振国威。历史不能假设，也无法重来，有时候英雄的出现，注定了是一场悲剧的诞生。当我们回过头去揭开历史的面纱，但见烽火狼烟中豪情万丈，高风亮节掩映苍穹；同时代的词人刘过写了一首《六州歌头》为岳飞壮志未酬扼腕叹息。

中兴诸将，谁是万人英？身草莽，人虽死，气填膺。尚如生。年少起河朔，弓两石，剑三尺，定襄汉，开虢洛，洗洞庭。北望帝京。狡兔依然在，良犬先烹。

人生也许就是一场战争，肆意挥霍、坚守内心理想的那才叫青春，那才叫活过。那些年月，不动声色，都是你的飞翔。

怒发冲冠，凭栏处、潇潇雨歇。抬望眼，仰天长啸，壮怀激烈。三十功名尘与土，八千里路云和月。莫等闲，白了少年头，空悲切！

靖康耻，犹未雪。臣子恨，何时灭？驾长车，踏破贺兰山缺。壮志饥餐胡虏肉，笑谈渴饮匈奴血。待从头，收拾旧山河，朝天阙。

“三十年功名尘与土，八千里路云和月”。其中不难看出岳飞优秀的品质，每当读起这首词，一个高尚的岳飞形象伫立在眼前，当中原大地惨遭外来侵略者的蹂躏，广大人民饱受战争的创伤痛苦之时，岳飞只是把功名看成“尘与土”。这曲《满江红》慷慨激昂，流传至今，非但没有被历史的尘埃湮灭，反而在历经岁月的洗礼后更加熠熠生辉，散发出迷人的光芒，使得更多的人宁愿相信另一个岳飞的存在，那个贺兰山上，驾长车驰驰疆场、一骑当千的飞将军，身悬长剑又不失英武潇洒，笑谈渴饮匈奴血，他的眉宇与胸襟跃过血腥的沙场，放眼的是烟波浩渺的大山大水，那些盼望收回的河山。

英雄暮歌，年月琐碎

骑毛驴，携二三小童，系一酒壶，绕西湖徐徐而行，拂柳风阵阵，湖面波澜不惊。几口浊酒入喉，醉意和着江南的暖春，在斜阳的余晖里，泛红了往昔……

此生之古雅浪漫莫过于此，想必文人墨客都想拥有此等闲情逸致。谁不想在生活的闲暇中拾得如上的几番野趣？谁不羡慕浊酒一杯，轻游西湖的境界？可是情境中的主人公在暮色下的生活情趣，却是对他身份的莫大讽刺。随便一个人常常泛游西湖，饱览江南景致，都不太奇怪，但如果是一个军人，一个积攒了浑身气力依然可纵横沙场、笑傲群英的军人，谁又能理解闲游酒的个中滋味呢？此人正是赫赫有名的南宋大将韩世忠。

而在这之前，建炎四年（公元1130年），那场战役上的豪迈放歌的《满江红》也还历历在目：

万里长江，淘不尽壮怀秋色，漫说秦宫汉帐，瑶台银阙，长剑倚天氛雾外，宝光挂日烟尘侧！向星辰拍袖整乾坤，消息歇。

龙虎啸，凤云泣，千古恨，凭淮说。对山河耿耿，泪沾襟血。汴水夜吹羌管笛，鸾舆步老辽阳幄。把唾壶击碎，问蟾蜍，圆何缺？

当年，金人再度进犯，从黄州和采石矶两处渡江，直逼临安，宋高宗逃至越州。韩世忠留守秀州，建炎四年元宵节金兀术下战书与韩世忠，约定第二天开战。韩世忠听从夫人梁红玉的计策把宋军兵分两路，看中军摇旗为号，进行包围截杀，结果金军大败。

造化弄人，几年之后，马换成了驴，血染的战场化归一方平静的湖面，手上无剑，唯有酒壶一个。在军人眼里，坦率而为，耿直行事才是最畅快的。也正是因为他在岳飞被害后说了一句打抱不平的痛快话，落得如此光景。“‘莫须有’三字何以服天下！”在举朝文武无人敢言为岳飞说一句公道话之下，而他当面质问奸相秦桧。朋友劝他不要和秦桧唱对台戏，他的回答无所畏惧：“畏祸苟同，他日有何面目见先帝于地下！”韩世忠也是坚决的主战派，反对朝廷与金议和，多次上疏直接弹劾奸相误国。他不畏强权的勇气，就连不认同他战绩的王曾瑜先生也不得不佩服：韩世忠坚决反对对金屈辱和议，足可称道！

因为屡次触犯主和派，韩世忠终于被解除了兵权。自此，他杜门谢客，居家阅书读经，绝口不言兵。

在南宋，韩世忠是中兴四将之一，四将之中，岳飞光环最大、最具传奇色彩。韩世忠功劳也不小，黄天荡和大仪镇的战绩使他威名远扬。他的耿耿忠心同样是毋庸置疑，戏曲《双烈记》一段他和妻子梁红玉的对白：

韩世忠：夫人啊。都只为金兵入寇神州陷，戎马倥偬二十年。日常总随铁甲伴，晓来常倚马鞍眠。我与你，离时多会时少，只常别不常见。十月寒霜六月天，秋去春来年复年。才觉得，改却三分少年气，转眼鬓丝白发添。

梁红玉：恨煞金虏起狼烟，家国多难遭兵燹。好男儿，胸悬金印腰悬剑，理该把乾坤旋。说什么离多会少，道什么白发新添。只须思，落鬓莫使等闲白，空嗟叹老了红颜。为情白头人笑痴，为国白头人敬羡。相公啊，熬过了十月寒霜三伏天，患难夫妻要齐向前。

韩世忠：时听你金玉良言，常使我精神爽健。今夜晚牢龙计定，但愿得一举凯旋，迎二圣靖康耻雪，复神州河山庄严。怎求得解甲归田，安享些太平闲年？

经过艺术加工的作品，尽管有一定的虚构成分，但韩世忠为国为民的精髓丝毫不用怀疑，否则，他何以“只为金兵入寇神州陷，戎马倥偬二十年”，其一腔热血，苍天可鉴。不仅如此，梁红玉和他一起同上战场。在黄天荡一战中，梁红玉与韩世忠并肩指挥作战，与全军将士同生共死。在战斗最激烈的关头，她在金山亲自执桴擂鼓，打退了金兵一次次的进攻，这就是流传千古的“梁红玉击鼓退金兵”。梁红玉之前为生活所迫沦落为妓女，但她绝对是个奇女子，不似青楼里的娇颜粉腮，大有巾帼不让须眉的豪情，上了战场，似水柔情便化作铿锵力量。

治军上，韩世忠也是把持威严，能与士卒同甘苦，这一点和岳飞相像。对待士兵，仗义疏财，历年所得赏赐都分给了部下，田产都分给了他封邑的百姓。拿出韩世忠，不是非得和岳飞比个高下，即使放在任何一个朝代，他都是国家不可忽视的重要一员。

但宋朝是个特殊的王朝，它不缺少能征善战的大将，就缺少供他们挥洒爱国热情的舞台。从繁华的汴京到富庶的临安，整个王朝的气质日趋孱弱。莺歌燕舞、柳巷烟花的事业并没有因为北宋的灭亡而有所收敛。高宗一朝沉迷在酒色里，看大将们一个个也没有好下场，就知晓后来根本没有收拾旧山河的意思。宣和元年（公元1119年），宗泽反对朝廷联结女真征契丹，被贬提举鸿庆宫，上表引退；绍兴十一年（公元1142年），岳飞屈死风波亭；紧接着，第二年，韩世忠被解除兵权，归隐杭州；随之，张浚也遭到排挤，被迫离开朝廷。可怜南宋朝廷只剩下这点贬杀大将的本事了，反击敌人的勇气没有，斗自己人倒很有心得。杭州灵岩山的韩世忠墓碑额上所书"中兴佐命定国元勋之碑"只不过南宋做给后人看的，军人从来不喜欢用几个大字来囊括功绩，这样的文字太过苍白，于他们而言，敌人的鲜血比那几个孤单的字更能映照他们的一生。

韩世忠的境遇是南宋小朝廷的另外一个缩影，岳飞的死是典型性的悲剧，他的归隐则是非典型的无奈。他们代表了当时军人的两种不同结局，在南宋灭亡的走向上其实都是殊途同归。绍兴二十一年（公元1151年），韩世忠带着忧郁离开了一个不值得留恋的王朝，英雄暮歌的背后，隐约看到了宋室王朝的丝丝苍凉。

这是个人的不幸，也是时代的一种情感表达。

醉里挑灯看剑，一场镜花水月

后来，来到南国的辛弃疾很爱喝酒，酒醉之后的风很轻，来到南国多年，这里的人们讲着他听不懂的话，这里的女孩很柔，比北方女孩多几十倍的妩媚，这里的一切都与他的家乡不同，低眉举手间都有着一种风情万种，所以大家都沉醉，都魂牵梦绕，都纸醉金迷，都直把杭州作汴州。

喝醉的时候，辛弃疾还记得他率领五十多人追击叛徒袭击金营的事情，他讲给他好朋友陈亮、陈同甫听，他说当时他身边士兵刚将敌人挑落马下，还没来得及欢呼一声就被身后的弩箭射倒了。每个人身上的战甲已经破碎不堪，殷红的鲜血渗透将白色的里衬染成了红色，让人分不清哪里是血迹，哪里是战袍的本色。弓箭早已折断，钢刀也已经砍钝，但是每个人的脸上都显露出刀刻般的坚毅。就是这种坚毅，带领着他们把叛徒张安国擒拿带回建康，交给南宋朝廷处决。

不同于同时代的爱国词人陆游，辛弃疾作为一个具有实干才能的政治家，曾经有很高的政治地位，他对抗金事业的追求，也不像陆游那样主要出于一腔热情；作为一个英雄豪杰式的人物，他的个性要比陆游强烈得多，他的思想也不像陆游那样儒家似的纯正；辛弃疾的理想不仅反映了民族的共同心愿，而且反映了一个英勇之士渴望在历史大舞台上自我完成的志向。

这与他的生活经历有关。他出生时北方已沦陷于女真人之手很长时间了。他的祖父辛赞还在金国任职，但一直希望有机会“投衅而起，以纾君父所不共戴天之愤”，并常常带着辛弃疾“登高望远，指画山河”。同时，辛弃疾也目睹着汉人在外族统治下所受的屈辱与痛苦。这一切使他在青少年时代就立下了恢复中原、报国雪耻的志向。而另一方面，正由于辛弃疾在此时的北方长大，他也较少受到儒家循规蹈矩的传统教育的熏染，因此，在他身上，有一种燕赵奇士的侠义之气。

有年少气盛，才会再有那番情怀，那份为情愁的离怀。宋绍兴三十一年（公元1161年），金主完颜亮大举南侵，二十二岁的辛弃疾便聚众两千多人树起抗金大旗。不久，他率部归耿京义军，并力劝耿京归宋，以图恢复中原，宋绍兴三十二年（公元1162年），辛弃疾奉命南渡，联系义军的归宋问题。在他完成使命归来的途中，听说耿京被叛徒张安国所杀，已经率部投金，恼怒之余便率领五十余名骑兵，奇袭金营，生擒叛徒张安国。辛弃疾这一惊人的勇敢，使他名重一时。归宋之后，高宗任命他为江阴签判，从此开始了他在南宋的仕宦生涯。

在南方，辛弃疾算是见识了朝廷的怯懦和畏缩，使他的一腔热血化作哀愁。初来南方，高宗赞许他的英勇行为，不久后即位的宋孝宗也一度表现出想要恢复失地、报仇雪耻的锐气，所以，他就热情洋溢地写了不少有关抗金北伐的建议，如《美芹十论》《九议》等。这些深受南宋人们的称赞，广为传诵，更让辛弃疾热血沸腾。但已经不愿意再打仗的朝廷却反应冷淡，只是对辛弃疾在建议书中所表现出的实际才干很感兴趣，于是先后把他派到江西、湖北等地担任转运使、安抚使一类重要的地方官职，去治理荒政、整顿治安。这显然与辛弃疾的理想是不相符的。岁月流逝、人生短暂而壮志难酬，我们的英雄词人内心却越感压抑与痛苦。

这就是残酷的现实，辛弃疾虽有出色的才干、身体力行的能力，但他那豪迈倔强的性格和执着北伐的热情，却使他难以在畏缩而圆滑、嫉贤妒能的官场上立足。他也意识到自己“刚拙自信，年来不为众人所容”，所以，也早已做好了归隐的准备，并在江西上饶修建了园榭，以便离职后定居。

更能消、几番风雨，匆匆春又归去。惜春常怕花开早，何况落红无数。春且住，见说道、天涯芳草无归路。怨春不语。算只有殷勤，画檐蛛网，尽日惹飞絮。

长门事，准拟佳期又误。蛾眉曾有人妒。千金纵买相如赋，脉脉此情谁诉？君莫舞，君不见，玉环飞燕皆尘土。闲愁最苦。休去倚危栏，斜阳正在，烟柳断肠处。

南宋江山是垂暮的春天。辛弃疾宁做一张檐间蛛网，终日网罗天上的飞絮，挽留春的气息。但春又是否理解他呢？“千金纵买相如赋，脉脉此情谁诉？”三月间辛弃疾从湖北调往湖南，依然是不得光复北地，不禁在践行宴上陡生感伤。和着残春落花，千古绝唱《摸鱼儿》从心中汩汩流出。

这首绝妙好词风传一时，孝宗皇帝也读了，词中暗指“皇天昏昏”之语让孝宗大为不满。恰好此时的宰相与辛弃疾政见不合，尤对其主战的态度怀恨，便指使谏官弹劾辛弃疾“贪凶残暴”“用钱如泥沙，杀人如草芥”。对于这些莫须有的罪名，孝宗不加审核就予以认定，将辛弃疾削职为民。江西上饶修建的园榭这时却派上了用场。

明月别枝惊鹊，清风半夜鸣蝉。稻花香里说丰年，听取蛙声一片。

七八个星天外，两三点雨山前。旧时茅店社林边，路转溪桥忽见。

多么美丽的夏夜，月白风清。在《西江月·夜行黄沙道中》中，宁静的乡村原野，庄稼长势良好，可以预见到丰收的美景。时有蝉鸣与蛙声，调皮的夜雨也不多，只有两三点。沿路左转而又右转，转过小路与桥头，葱绿的树林跃然出现在眼前。旧日茅屋依然在，想想看，已经好久没来过了。轻快的节奏，诗意的内容，令人对乡居生活充满向往。

其实，以辛弃疾的性情，这首词又何尝不是反问？反问当权为何不重用自己，反问时光匆匆自己要如何面对。一切旧时光都将会一去不复返，在这变幻的人生里，岁月也许是最厉害的小偷。他偷走了自己最初的梦想，偷走了自己向往的所有美好。

闲居岁月里，同样得不到重用的陈亮将军经常来看他，二人志向相投，词风相近，满腹的救国报复不能实现，古今也许只有酒是不混浊的、清净的，二人只有喝醉了酒，才能万事皆休。所以，他们经常喝得醉醺醺的。

喝醉时候，二人谈战事、谈理想，后来开始赋诗。

2017.8

醉里挑灯看剑，梦回吹角连营。八百里分麾下炙，五十弦翻塞外声，沙场秋点兵。

马作的卢飞快，弓如霹雳弦惊。了却君王天下事，赢得生前身后名。可怜白发生！

那时候多么意气风发，一路向北，定能收复河山，美梦、渴望都会成真。以为初登场就会一鸣惊人掌声雷动，陈亮啊，武器装备再厉害，每次一往无前的冲锋换来的却都只是一身寥落无人喝彩的落幕。

可怜白发生，结局都是如白月光般不能言说的忧伤。识尽家国愁滋味，这种种的感受交织，化为悲怆洒满天空。当年那个为赋新词强说愁的少年如今已是两鬓微霜，从爱上层楼到如今见一叶而知秋，时间教会了他很多东西。作为一个热血男儿、一个风云人物，在正是大有作为的壮年被迫离开政治舞台，这是他难以忍受的。

虽然辛弃疾屡受排挤，但他时时刻刻还在关心国家命运，陈述恢复大业，批判投降苟合势力，实现自己的英雄志向。天意往往是捉弄人的，开禧三年（公元1207年）的秋天，朝廷又来诏命，要他出来任职。可六十八岁的辛弃疾已经卧病在床力不从心了，只是在他听完诏书后，心又剧烈地跳动了起来，“杀贼！杀贼！杀贼！”

他戎马舞剑喊了起来，喊声中，心已随着不羁的思绪飞越千山万水、踏尽关山叠嶂。他那从报国从军的壮志，那金戈铁马的雄姿，留在宋词之中，成为这世间最为雄壮的诗词，建功立业的希冀还在，醉卧沙场的豪情未凉，在穿越历史的岁月中，熠熠生辉。

后记

词牌如歌，静唱红尘

似乎那是一种天生的爱恋，蝴蝶生来就是要恋上花的颜色、花的香气，而花生来就是要认识那飞翔着的蝴蝶的。这是看到宋词词牌《蝶恋花》时大多人的想法，蝶绕花丛，一种相爱，处处闲情，读来是否心旌摇曳呢？

宋词是歌，你是否还记得，这些词牌的命名，必然都有一个美丽的故事伴随？你还没有听到词人与歌女的歌唱，那些美不胜收的词牌名字啊，就早已在你的眼前迎风吐蕊，就早已美如缤纷的落英了。

读宋词，怎么能躲得开“烛影摇红”？

烛影摇红，多么美丽的意象和意境啊。暮色始临，蜡烛点燃，对影小酌，忽而微风，虹影跳动。

烛影摇红，向夜阑，乍酒醒、心情懒。尊前谁为唱阳关，离恨天涯远。

无奈云沉雨散。凭阑干、东风泪眼。海棠开后，燕子来时，黄昏庭院。

夜阑人静，万籁俱寂，女主人公刚刚酒醒，睁开惺忪的醉眼看看室内，那蜡烛摇着红色的光焰，心思慵懒。这是北宋词人王诜首先赋予烛影摇红的意境，只是现在早已是声光电化现代科技的世界了。夜晚的城市更全部被各式各样的电灯、彩灯、日光灯和霓虹灯接管，到处不是明如白昼的坦白，就是若明若暗的暧昧，怕是找不到古典的烛影摇红了，那温馨浪漫的烛影摇红、那令人远离尘嚣世俗、心驰神醉的烛影摇红也许在梦中才能重现。

“烛影摇红”这个词牌，还有许多别名，如“忆故人”“归去曲”“玉珥坠金环”“秋色横空”等，但诸多别名都远不及正名，吟诵王诜的《烛影摇红》，落入那宋代燕子飞舞的院落，独享这宋词梦的心荡神驰。

秋水秋波，眉眼盈盈就是诗人词人们心目中最动人的画面。欢悦时是美目盼兮，忧愁时是“目眇眇兮愁予”（《湘夫人》），所以，宋词注定也躲不开“眼儿媚”，“眼儿媚”的词牌跟王安石的儿子王雱的一首抒发相思之情的词有关。

杨柳丝丝弄轻柔，烟缕织成愁。海棠未雨，梨花先雪，一半春休。

而今往事难重省，归梦绕秦楼。相思只在：丁香枝上，豆蔻梢头。

王雱初遇翰林学士庞公之女庞荻即一见钟情。宋时风气开放，赏春乐游之事平常，时近清明，花嫣柳艳，乍暖还寒。两个俊男美女机遇巧合在婚前就得相见，一见钟情，又门当户对，自是一段好姻缘。虽然庞公与王安石政见不一致，但两家还是结了亲。可惜王雱英俊帅气，但身体很弱。以至夫妻分居，后来庞荻奉王安石之命改嫁，嫁的是神宗的弟弟，也是王雱的好友昌王赵颢。据说庞荻再婚之时，王雱病危，弥留中写下这首词，不久去世。王雱为什么会把自己的这首词命名为《眼儿媚》呢？是因为庞荻有一双秋水一样的眼睛吗？恐怕更多的原因是词中要抒发与有情人之间的离愁别绪，因此，他首先就想到了对方的泱泱泪水。君泪盈，妾泪盈，“罗带同心结未成”，为了她的终身幸福强迫她别嫁，那样一朵娇嫩的海棠花，他不忍她兀自萎谢。

这段故事，让人很是感慨。庞荻在王雱生前就别嫁而非被休，在那个时代几近惊世骇俗的行为，王安石父子对庞荻的一番用心与深情实在有超越时代的人文精神，因而，“眼儿媚”也就有了更深远的意义。

词牌最美的，当然还有“暗香疏影”。

“梅”的芳名，在诗词中早早就出现了。陆凯在他的《赠范晔》中写道：“折梅逢驿使，赠与陇头人。江南无所有，聊赠一枝春。”为梅花做了精彩的出场，我送你一支梅花，你收到时候眼前就显现出来整个春天，梅后为春，也就和春天联系在了一起，自此以后，梅花便在中国诗文中斗雪而笑，它的绝代芬芳也便随风飘扬。

梅这么美，那么它的影子就更美了。北宋咏梅的词人不少，但却以林和靖写得多且好，这位爱梅成癖爱鹤也成癖的隐士，看梅看得“连宵不返”。他一生咏梅诗当不在少，但这位先生没有藏之名山传之后世的想法，因而随写随弃，不过，仍有著名的《山园小梅三首》流传至今，而三首之中排行第三的那一首，实际上是领衔的冠军。

众芳摇落独暄妍，占尽风情向小园。疏影横斜水清浅，暗香浮动月黄昏。

霜禽欲下先偷眼，粉蝶如知合断魂。幸有微吟可相狎，不须檀板共金尊。

那稀疏的影儿，横斜在清浅的水中，清幽的芬芳浮动在黄昏的月光之下。寒雀想飞落下来时，先偷看梅花一眼，蝴蝶如果知道梅花的妍美，定会销魂失魄。“暗香疏影”的词牌也就在寒雀与蝴蝶之后横空出世，时至南宋，它还启发白石道人姜夔的诗情，分拆为“暗香”与“疏影”两个词牌，美如两块璧玉，灿若两颗珍珠。

旧时月色，算几番照我，梅边吹笛？唤起玉人，不管清寒与攀摘。何逊而今渐老，都忘却、春风词笔。但怪得、竹外疏花，香冷入瑶席。

江国，正寂寂。叹寄与路遥，夜雪初识。翠尊易泣，红萼无言耿相忆。长记曾携手处，千树压、西湖寒碧。又片片、吹尽也，几时见得？

苔枝缀玉，有翠禽小小，枝上同宿。客里相逢，篱角黄昏，无言自倚修竹。昭君不惯胡沙远，但暗忆、江南江北。想佩环、月夜归来，化作此花幽独。

犹记深宫旧事，那人正睡里，飞近蛾绿。莫似春风，不管盈盈，早与安排金屋。还教一片随波去，又却怨、玉龙哀曲。等恁时、重觅幽香，已入小窗横幅。

如果林和靖有知，也该会欣然同意，姜夔的新词就是借用了他咏梅诗中的美辞作为词牌。当时是姜夔做客于范成大的石湖之畔，冬天，正是蜡梅初放之日，二人少不了吟诗作赋。前人咏梅，梅花的意象不外乎隐者标格，姜夔之词则多次写了与梅花有关的美人，范成大命家中乐工与歌伎演奏歌唱，演唱的歌女小红十分钟爱这两首新词。待到姜夔回返家乡，爱才的范成大成人之美，将小红赠之为妾。姜夔终生潦倒，只是一位才华俊发的文士，小红色艺双全，而且喜爱他的旧作与新词，可算是风尘中的红颜知己，二人在随后的生活中多有唱和，这美谈更使得“暗香疏影”平添几许旖旎。

词牌啊，美之又美，随手拈来几个，它们似乎都要乘那一叶轻舟滑水而来，不信拿过一本宋词来，去看看目录上更多的词牌名，是不是已足够使人心荡神驰？